［デイ・ワン］

Day1

毎日がはじまりの日

アマゾンジャパン合同会社 社長
ジャスパー・チャン
Jasper Cheung

amazon

PHP

関係者の方々と議論を重ねるうちに、この本を通して、グローバル人材としてこれから活躍するデジタルネイティブの皆さん、そして彼らを育てていかれる管理職の方々に、私たちAmazonが創り上げてきた考え方というものが何らかのお役に立てるのではないかという気持ちに変わっていきました。

　Amazonには独自のカルチャーがあり、その経営はこれまでずっと変わらない普遍的な価値観によって支えられています。米国で創業してまだ25年あまりの組織ですが、守り続けてきた基盤がどのように形成され、維持されてきているのかについて、私自身の経験を重ね合わせつつお伝えしていければと思います。

　また、Amazonでは社員一人一人がリーダーであり、アマゾンジャパンは、退職した昔の仲間を含め、みんなの力で成長させてきた会社です。ですからこの本は、「私の履歴書」的なものではなく、これまでのアマゾンジャパンの活動の軌跡と、現在の姿、さらにはAmazonの企業理念や経営哲学といったものを、日本の方々により深く知ってもらう機会にもしたいと考えています。

　外資系企業は、日本社会では今でもまだ、身近な存在として認識されていないように思います。バブル経済崩壊以降の企業買収などで知られるようになった外資系ファンドのように短期的な利益追求型のイメージが、今もって強い

私が日本の神戸の地に来て、働くようになったのは1995年のことでした。

　あの阪神・淡路大震災があったすぐあとの頃です。復興に向けて、多くの人々が立ち上がろうとするなかで、私の日々の暮らしが始まりました。アマゾンジャパンの入社前に在籍していたP＆G（プロクター・アンド・ギャンブル）という会社での新しい仕事に、自分なりに精一杯没頭する。そんな日々を送っていました。

　P＆Gという外資系企業では、英語ができれば、社内の仕事においてはさほど支障はありませんでした。しかし、日本に住み、働くことになった以上は、日本語をマスターしたいと思うようになり、徐々に日本の文化や風習を身につけていきました。そうしたなかで、ある時期に、Amazonという企業、そしてアマゾンジャパンの創立メンバーたちと出逢うことになりました。彼らの強い熱意によって、Amazon.co.jpは産声を上げることになりました。

　その草創期に、私もメンバーに加わり、いつの間にか、20年の年月が過ぎました。日本でも、私の生まれた香港でも、昔から「光陰矢の如し」といいますが、本当にあっという間のことだったように感じられます。

　本書の出版のご提案を、PHP研究所の松下正幸会長（兼パナソニック特別顧問）から頂戴したとき、躊躇する気持ちのほうが強かったというのが正直なところです。しかし

のかもしれません。Amazonは日本で2020年に20周年を迎えましたが、日本社会では、内資と外資という意識が強く、江戸末期に来航した黒船のような存在として受け止められる場合も過去にはあったことも理解しています。そして日本のみならずグローバルで、デジタル化の急速な発展の中で成長を続ける企業組織に対して、厳しい目が向けられていることも確かでしょう。

　しかし私からすればAmazonの、常に長期的思考に基づき、お客様や社員そして地域社会を大切にしていくという経営の根底にある基本精神は、日本語でいう「三方よし」の精神にとても近いところがあると思っています。

　アマゾンジャパンもこれまで、日本の皆さんからさまざまなご意見やご指摘をいただいてきましたが、そうしたなかで、お客様や社員そして地域社会のなかでの責任を果たしていく決意を新たにしています。

　2018年末に、伝統ある日本経済団体連合会（経団連）に加入させていただいたのも、その一端です。日本の多くの企業との共生の絆をいっそう深めていきたいという願いを行動に移していこうと考えたからなのです。

　経団連に加盟されている多くの伝統企業に比べれば、Amazonの日本での歴史は20年というわずかな期間ですが、日本はAmazonにとって非常に重要な国であり、今後もテクノロジーや人材そして地域社会への投資を続け、

Amazon、そしてアマゾンジャパンという会社が、日本の方々にとって、より身近な存在となることを心から願っています。

アマゾンジャパン合同会社社長　ジャスパー・チャン

アマゾンジャパンの現在と未来
――すべてはお客様からはじまる

アマゾンジャパンが歩んできた20年、
そのなかでDay 1と出会えて ………………………………… 12

Amazonにとっての成長とは何か ……………………………… 15

Amazonの成長に対する考え方は
世界のどの国でも変わらない ………………………………… 17

Amazonの成長の源泉
――すべてはお客様からはじまる ……………………………… 19

日本をよく知り、
日本企業の飛躍のお手伝いをしたい ………………………… 22

お客様のことがいつも頭から離れない
Amazonという集団 ……………………………………………… 26

Leadership Principles ………………………………………… 28

そこにある真実から逃げない組織文化 ……………………… 31

イノベーションに対するAmazonの基本思想とは
……………………………………………………………………… 33

企業理念が額縁に入れられただけのもので
あってはならない ……………………………………………… 35

第 I 部　お客様は無限、仕事も無限

Day 1であるために
――一人のアマゾニアンとしての私の仕事法

草創期からのアマゾンジャパンと私の成長 ················ 40

Day 1であるための私の仕事法〈1〉
今に集中する ················ 44

Day 1であるための私の仕事法〈2〉
好奇心と聴きにいく力を高め続ける ················ 47

Day 1であるための私の仕事法〈3〉
情報を活かしてメカニズム化する思考を身につける
················ 52

Day 1であるための私の仕事法〈4〉
イノベーションの源泉を大切にする ················ 54

Day 1であるための私の仕事法〈5〉
習慣をつくる ················ 57

Day 1であるための私の仕事法〈6〉
自分なりの心の姿勢をもつ ················ 61

Day 1であるための私の仕事法〈7〉
無意識の偏見を取り払う ················ 64

Day 1であるための私の仕事法〈8〉
いつもCustomer Obsession ················ 67

2章 お客様を起点にする

アマゾンジャパンにとってのお客様とは ……………… 71

お客様を起点として発想し、思考する ……………… 73

「地球上で最もお客様を大切にする企業」の
ある日の出来事 ……………………………………… 75

Amazonの社内会議はお客様のためにある ………… 77

ミッションとプリンシプルの最後の砦として ………… 79

3章 リスクを決して恐れない

インサイトを働かせ、事実をつかみとる ……………… 81

Amazonの基本戦略はDay 1であり続けること ……… 83

Two way doorとOne way doorを使いこなす ……… 85

始発駅からまたやり直して前に進んでいく …………… 88

日本発のイノベーションをお手伝い ………………… 91

実店舗をもってOTC医薬品販売に初めて取り組む
……………………………………………………… 94

グローバルにおける商品名やサービス名に対する
考え方 ……………………………………………… 96

基本に戻ることを学んだタイムセール ……………… 98

第 II 部　一人一人がリーダー

4章

すべての活動の源泉となる Leadership Principles

Leadership Principles の歴史と成り立ち ………… 106

LPとDay 1の関係性について ………………… 109

アマゾニアンは企業理念とともに成長する ………… 112

歩くLPになる、未来を共創する ……………… 113

5章

挑戦の輪は、つながって、広がり続ける

Amazonソムリエという日本発の事業の立ち上げ
………………………………………………… 117

Amazonが変革において重視する
専門的スキルとメンタルモデル ……………… 120

「それでは君を守れないよ」――チームとしての絆
………………………………………………… 123

お客様の立場に立ち続ける、
そして繰り返し問い続ける ………………… 126

自ら限界をつくらないリーダーになる ………… 129

お客様の満足度を追求したARビュー ………… 132

6章

最後はお客様が決める

Amazonフレッシュ、クオリティへの挑戦 ……… 135

上手に上司を使い、上手に部下に使われる関係 ┄┄┄ 137

自らのキャリアを切り開くOwnership ┄┄┄┄┄┄┄ 140

会議で一つだけ空いた席をつくる ┄┄┄┄┄┄┄┄┄ 141

結果と目標を正しく意識する ┄┄┄┄┄┄┄┄┄┄┄ 144

戦略はミッションから生まれるもの ┄┄┄┄┄┄┄┄ 147

第 III 部　これからも毎日がDay 1

7章　一つの挑戦の軌跡、それは書籍から始まった

お客様の求めるところに応じて組織ができる
──草創期の書籍事業 ┄┄┄┄┄┄┄┄┄┄┄┄┄┄ 150

Kindleストアの立ち上げ ┄┄┄┄┄┄┄┄┄┄┄┄┄ 154

「マシンに失敗させようよ」┄┄┄┄┄┄┄┄┄┄┄┄ 156

近江商人の三方よしとアマゾンジャパンの経営姿勢
┄┄┄┄┄┄┄┄┄┄┄┄┄┄┄┄┄┄┄┄┄┄┄┄┄ 158

8章　お互いに学び合い、高め合う日々

Dive DeepとDeliver Resultsの意味 ┄┄┄┄┄┄┄ 161

善意のフィードバックで信頼を高め合う ┄┄┄┄┄┄ 163

リーダーたちからの学び ┄┄┄┄┄┄┄┄┄┄┄┄┄┄ 166

多様な視点からの学び ……………………………… 168

お互いを尊重し合い、
Diversity, Equity and Inclusionを推進する ………… 170

9章 進化・成長のなかで、変えてはならないこと

未曽有の経験から生まれたもの ………………………… 174

Customer ObsessionとBias for Action ……………… 178

倹約はどこまでも続く ……………………………… 181

現場におけるLPとDay 1 …………………………… 185

All Hands Meetingでの出来事 …………………… 188

エピローグ ともに創る未来
次代の創造と変革を担うリーダーたちへ

グローバル社会で何を成し遂げるのか ………………… 190

自分の強みを見つけて、発揮してこそ、道は開ける
………………………………………………… 193

自分らしさをどこまで表現できるか ………………… 196

人間力が試される時代だからこそ …………………… 198

最後に──ともに生き、ともに成長し続けるために
私たちができること ……………………………… 202

（巻末資料）
2016年ジェフ・ベゾスの「株主への書簡」全文 ……… 208

構成協力：藤木英雄（PHP研究所）
装丁：大杉泰正（iRデザインスタジオ）

アマゾンジャパンの現在と未来
——すべてはお客様からはじまる

プロローグ

アマゾンジャパンが歩んできた20年、そのなかでDay 1と出会えて

　自分は将来、どんなことを成し遂げ、どのような人生を歩んでいきたいのか。多くの人がそうであるように、私も、この問いに対する明確な答えを出せないまま、人生を過ごしている時期がありました。ときに迷い、その悩みを解決してくれる何か特別な法則があればいいのにと思うことさえありました。

　香港で生まれた私が、カナダに移住してカナダ国民となり、初めて日本に来たのは30歳を超えた頃でした。それから3〜4年が経ち、日本での仕事と生活にようやく慣れた頃、私の中でインターネットが世界を変えていく可能性への期待が大きく広がっていきました。例えば、プライスライン・ドット・コム（現ブッキング・ホールディングス）というオンライン旅行会社がウェブ上で提供するビジネスモデル（買い手側が、欲しい航空券とその値段などの条件を提示し、売り手を選択できる）を知ったのもその頃のことでした。それまでのオークションを逆転させる仕組みに、当時の私の心は揺さぶられたのです。

　この頃のAmazonはというと、1997年に上場を果たしたとはいえ、まだ赤字経営が続く状態でした。創業者のジェフ・ベゾスは、大学卒業後に勤めていた大手ヘッジ・ファンドを退職して、1994年に米国のシアトルにある自宅のガレージで、インターネット書店から事業を始め、翌95年にAmazon.comをスタートさせました。

　それから5年後、猛スピードでアマゾンジャパンの設立が進められます。2001年から、私は社長をつとめることになりましたが、社員一人一人がさまざまな前例のない体験をし、たくさんの喜びを味わうとともに、難しい局面にも対峙してきました。そうした状況を、みんなの力で突破していくなかで、私は自分の経営者としての信条といってもいい言葉に出会うことになりました。それが**Day 1（デイ・ワン）**です。

　Day 1とは、Amazonの事業が急速に成長・発展するなかで重視するようになり、事あるごとに社員が意識している言葉であり姿勢です。その真意を、日本語で表現することはなかなか難しいのですが、「毎日がはじまりの日」といった意味合いで理解してもらえるとよいと思います。

　ベゾスは毎年、株主への書簡として、心を込めた文章を株主に送っていますが、**Day 1**については2016年の書簡で詳しく記しています（P208巻末原文資料参照）。なぜAmazonが**Day 1**であり続ける必要があるのか。その反対

の概念であるDay 2の状態に陥ってしまうと、Amazonはどうなるのか。そうしたことに対する考え方が書き綴られています。

　人は、組織のルールやプロセス、データなどにその活動が縛られるようになると、第一義の目的を忘れ、制約に忠実になることを重視してしまう傾向がある。そして多くの人が、本来の目的をはき違えた行動をとるようになる。しかもこの現象が組織内に広がってしまうと、企業はDay 2という衰退の状態に陥ってしまうのだと。つまりそれは、日本語でいう「大企業病」のような状態です。

　私がアマゾンジャパンの社長になってから、この**Day 1**という概念から派生して、色々と気づかされることがありました。その一つは、ベゾスが長期的思考にとても優れていながら、好奇心旺盛で、お客様に対する日常の些細な仕事にも、絶えず最大かつ細心の注意を払い続けているということです。

　お客様とは常に不満足な存在であり、今、お客様の課題に応えることができたとしても、また、次の課題が必ず出てくる。だからこそ、お客様という存在をしっかりと把握し続ける。そうして私たち自身の想像力をふくらませることで、お客様が抱えている課題に対して価値あるソリューションを創造し、望まれ、喜ばれるサービスを提供し続けることもできる——。

そう考えるAmazonのなかで働き、経験を積んでいくなかで、「地球上で最もお客様を大切にする企業になること」というミッションのもと、求められる責務を果たしていくことが、**Day 1**であることにつながり、自身の行動を力強いものにすることに気づき、実感できるようになっていたのです。

Amazonにとっての成長とは何か

2020年末に20周年を迎えたアマゾンジャパンでは、書籍から日用品、玩具やファッション、生鮮食品を含める食料品から、電子書籍リーダーのKindleやAlexaを搭載したスマートスピーカー Amazon Echoシリーズなど、数億種類のアイテムをご提供しています。

一般のお客様向けECサイトに加え、法人・個人事業主向けのAmazonビジネスや、広告事業などの法人向けサービスも

直接目を照らさないフロントライト方式で目に優しいKindle Paperwhite

15

展開しており、日本国内の多くの事業者様および教育や医療機関など多様なお客様に製品やサービスを提供しています。日本では現在、約8,500人の社員がおり、2013年から公開しているAmazon.co.jpの売上は、2019年度に1.7兆円を超える規模になりました（ドルベースで約160億米ドルの売上高。2019年の平均為替レートを1ドル＝110円として換算）。インフレ傾向に転じてもなお、デフレの残像が消えない日本経済のなかで、このように成長することできたのは、ひとえに日本のお客様の支持のおかげであり、また協力会社様とのパートナーシップによるものだと思っています。

　ただ私たちは、これまでの成長に満足をしているわけではありません。というのも、Amazonの企業理念は「地球上で最もお客様を大切にする企業になること」であり、そのミッションは果てしなく広がりのあるものだからです。

　そもそも成長の度合というものは、どのようにして測るべきなのでしょうか。

　例えばAmazonの事業の一つであるEコマースは、米国の小売業全体のなかでは約11％（2020年）のシェアにすぎません。日本においては6～7％ですから、小売業全体でのAmazonのEコマースの存在は、まだ小さいものだといえます。

　結果としての経営数字というものは、そのように、見方

や見せ方によって、どのようにも理解することができます。ですから指標としては重要ですが、その数値ばかりに意識をとられてしまうのは、好ましいことではないと私は考えています。ましてや、そうした数値結果を日々の活動の原動力にしていく経営をしていては、長期的な成長など成り立たないでしょう。

　Amazonにおける日々の活動の原動力は、まさしく「お客様」であり、このお客様を誰よりも大切にするところにこそ私たちのミッションがある。そしてAmazonにとっての「成長」とは、その「自らのミッションにどれだけ近づいていけるか」であり、常にお客様に寄り添って歩み続けることが、Amazonの成長につながる。だからこそ現状に甘んじることなく、いつも **Day 1** で自らが学び成長し続けたい──。そうした個々の意識と行動がAmazonの成長を支えてくれているのです。

Amazonの成長に対する考え方は世界のどの国でも変わらない

　世界各国のAmazonの経営について、その特徴的な点をあえて挙げるとすれば、どの国であっても、長期的思考で投資をしていくということに尽きると思います。

　短期的な利益を求めるのではなく、お客様に寄り添い、声に耳を傾け、カスタマーエクスペリエンス（Customer Experience）とお客様の満足度を高めることへのこだわ

りは、各国の Amazon に共通するものです。

　香港からカナダ、そして日本へと移動して生活基盤を変化させてきた私としては、多様な人々に直接触れ合う経験を通じて、お客様の品揃えや価格、そして利便性に対する根本的なニーズは、国ごとに大きく変わるものではないことを実感してきました。ですから、世界中のどの国でも、Amazon が同じような質の高いカスタマーエクスペリエンスを提供し続けていくことは可能だと思っています。

　ただその一方で、国ごとの文化や社会風土といった違いは今後も存在し続けるはずです。米国と日本のスーパーマーケットでは、主要チェーンの売れ筋商品が異なるのはその証左の一つでしょう。

　だからこそ、アマゾンジャパンは、グローバル企業であると同時に、日本に根差した企業である必要性を強く意識しています。日本のお客様の日々の生活に寄り添う存在として、信頼していただける小売業になることを目指しています。

　例えば、Amazon が紙の書籍という一つのカテゴリーからネット通販を始めたことはよく知られているようです。確かに、ドイツでも英国でも日本でも書籍から立ち上げました。しかしイタリア進出の頃から、この法則に則るのではなく、書籍以外の商品カテゴリーも同時に立ち上げています。ブラジルでは、**Kindle** つまり電子書籍を先に立ち上げています。その国のお客様のニーズを捉えて要望にお

応えしていくことへの強いこだわりとその追求よりも、Amazonにとって効率の良い戦略を重視するということは今後もあり得ないでしょう。

さらにいえば、ある国に参入して、その国のお客様から学びながら成長するというAmazonの基本姿勢は、どの国でも共通しています。これまで蓄積してきた経験だけでなく、各国の状況を重視するなかで、現地に合った施策を見出して展開をはかるようにしているのです。

そもそもAmazonの事業の一つであるEコマースは、基本的には、実店舗を主体とするスーパーマーケットや量販店と同じ小売業です。オンラインかオフラインかの違いがあるだけで、お客様の日々の生活をより豊かなものにするために、商品を取り揃え、お求めいただきやすい価格で、便利にお買い求めいただくという点では何ら変わるところはないのです。

Amazonの成長の源泉
　──すべてはお客様からはじまる

Amazonの成長による、業界や同業他社そして関係各社に対する影響をどう考えているのか。そういったご質問をいただくことがあります。

それは、会社という存在を、人間の一人一人に置き換えて考えてみるとわかりやすいのではないでしょうか。自分という個人が、成長せず、個々に生まれもって与えられた

素質や能力を存分に発揮できないのでは、社会全体にとっても個人にとっても好ましいことではないと思います。日々進化し成長をして、変化していくことは、個々の権利であると同時に責任であり、会社組織においては社会的責任であると私は考えます。

　そしてそうした考え方のもとで、さらに社会的な存在としてCSV（Creating Shared Value）、すなわち社会的価値の創造につとめる責任が現代の企業にはあると思うのです。

　かつて日本のSONYが世界へ進出していったとき、一企業の成功に留まるのではなく、メイド・イン・ジャパンの品質の高さを世界に知らしめることに貢献しました。そのうえで、エンターテインメントを手のひらで楽しむという社会的価値の創造者になったわけです。一企業としての成長を超えたイノベーションや改善を、社会全般にもたらす。そうした責任を企業が果たしていくことが、結果として、お客様一人一人の生活向上に寄与していくことにもつながるのではないでしょうか。私たちAmazonはそうした姿勢に深く共感します。

　Amazonだけでなく、SONYが開発したトランジスタ・ラジオやウォークマンに、Apple創業者の一人であるスティーブ・ジョブズが影響を受けたこともよく知られています。ジョブズは、その革新的商品を生み出した日本のイノ

ベーション力やデザイン性に心惹かれたようです。

　また世界に重要な社会的価値をもたらした日本企業はSONYだけではありません。Amazonでは、TOYOTAの生産現場で使われる「アンドン」が、社内用語になっています。TOYOTAだけでなく、日本企業が、いや世界の多くの企業が導入し、長らく推進されている「カイゼン」に対する考え方も、Amazonが大切にする基本姿勢と相通じるものになっているのです。

　SONYやTOYOTAは世界に冠たるブランドとなりましたが、日本ではブランド価値を示す言葉として、昔から、「のれん」という言葉があり、多くの日本企業や商業者が大切にしてきたことを聞いています。戦略や商品の優秀さだけではなく、持続的かつ発展的に、お客様に寄り添い、信頼を得続けることを大切にしてきた日本の会社の多くに行き渡る経営哲学に、私は強く心惹かれるのです。

　Amazonは、環境保護や地域社会での取り組みなどでも、社会によりよい影響をもたらすイニシアティブを掲げ、現在もその実現に邁進していますが、Amazon単独での社会的影響は小さなものにしかなりません。より多くの日本企業と協力し合う関係を築いていきたいと思います。

　日本には、実店舗を中心に成長しているチェーンストアや量販店があり、そうした各企業と私たちAmazonが、それぞれのお客様のために、自社の強みによって生み出さ

れるイノベーションやサービスを提供していく。そのことが結果的に、お客様にとっての選択肢を広げ、カスタマーエクスペリエンスの向上につながる。そのような望ましい世界を、日本の同業他社とともに創り上げていくことができると、アマゾンジャパンは信じています。

　同時に、Amazonのイノベーションを通し、日本のお客様がこれまで経験したことのない新しい体験をさまざまな分野において提供し続けることで、新しい価値を創造していくための流れを加速化させていく役割も果たしていきたい。そうして活気にあふれる社会の創造に長期的に貢献していける存在を目指したいのです。

　米国ではアマゾンエフェクトといった言葉が生まれ、私たちAmazonの企業戦略が分析される機会も増えています。**Amazon Web Service（AWS）**や、全国に点在する物流ネットワークなど、小売以外の業界や分野においても、アマゾンジャパンのイノベーションやサービスに触れていただくことで、このエフェクトという言葉のもつ意味が、ポジティブなものとして今後の日本社会に広まり、浸透していくことを、私は強く願っています。

日本をよく知り、
日本企業の飛躍のお手伝いをしたい

　Amazonで長期的な視野で注力している事業の一つに、

販売事業者様向けの**出品サービス**があります。**出品サービ
ス**とは、Amazonの**マーケットプレイス**に販売事業者の皆
さんが商品を出品していただく事業です。Amazonが製品
を仕入れて直接販売する直販事業もありますが、出品事業
の規模は、直販事業を超える成長を続けています。

　Amazon独自のイノベーションを他社にも利活用してい
ただき、選択肢、価格、利便性における素晴らしいカスタ
マーエクスペリエンスをご提供していく。長期的思考に基
づくこの姿勢は、Eコマースのみならず、**AWS**などを含
むAmazonのすべてのイノベーションやサービスにおい
ても貫かれる考え方です。

　Amazonの**マーケットプレイス**を活用される販売事業者
様は、これまでリーチできていなかったお客様に向けて販
売に取り組まれる。Amazonはそのお手伝いをすることに
なります。Amazonのオンラインストアはグローバル展開
をしているので、海外で出品することも可能です。

　これまでオンラインを活用せず、活用していても成長の
ための事業モデルが確立できていないといった悩みをお持
ちの方々に、Amazonが一連のサービスを提供すること
で、お客様は商品の調達やものづくりに集中していただく
ことができる。この関係性が、お互いの事業にいい循環を
生み出すことになると信じています。

　Amazonにとっては、販売事業主様もお客様です。お客
様を起点として常にサービス向上を目指す努力は、一般の

お客様に対してのものとまったく変わらないのです。

　販売事業者様の売上拡大を支援する具体的なサービスとしては、**FBA（フルフィルメント・バイ・アマゾン）**や**Amazonプライム**があります。FBAでは、販売される商品の在庫管理から配送、そして返品などの一連の作業をAmazonのサービスとしてご提供しています。Amazonの**マーケットプレイス**を最大活用していただくために、事業者様に直接お会いしてヒアリングをさせてもらい、対話を重ねることで、ニーズやご要望を理解するようにしています。そうして**FBA**のイノベーションをはかり、投資を続けていく際に、ときには米国と異なる施策をとることもあります。

　例えば米国と日本では、国土の大きさが決定的に違います。そのため日本国内の配送拠点間の距離が、米国より短くなります。しかも日本国内の物流は、グローバル的に見てもかなり高度に発達しています。場合によっては販売業者様の自社倉庫から出荷作業をしたほうが効率のいい場合があります。

　このような日本特有の事情に対して、アマゾンジャパンとしてきめ細かな対応をするために、常に試行錯誤を繰り返しています。そして、日本で**FBA**を使われていない販売事業者様に向けた有効なプログラムの創出に到達しました。

　マケプレプライムは、販売事業者様が、一定の配送スピードを確立できた場合、お客様がご購入時に目安にされている**プライムバッジ**というAmazonが推奨する印を、該当する商品詳細ページにつけるというサービスです。このことで、当該商品がプライムのお客様に閲覧される機会が増え、販売増につながるというプログラムです。

　そうしてお客様の注文が増えていくと、事業規模の拡大のために、**FBA**の活用を検討されることが増えていきます。比較的規模の小さな会社では、注文が増えるに従い、自社倉庫での在庫管理や梱包作業にかかる人員に限界が出てきて、土日も対応しなければいけない。カスタマーサービスも24時間365日体制で臨まなければならない。**FBA**を活用されることで、これらの負担を軽減でき、従業員の皆さんの労働環境を改善し、士気を維持、高揚することにもつながる。そうした利点を提供できる**マケプレプライム**は、**FBA**の入口として機能し、日本の販売事業者様のビジネスに貢献できるプログラムになってきました。

　このプログラムは、特に日本国内の中小規模の事業主様の成長と発展をお手伝いさせていただくことにつながるものだと自負しています。そして、日本の会社の90％以上を占める中小企業の成長を支援することは、都市部だけでなく、地方の経済の発展にも微力ながら寄与していくことができるのではないかと考えています。日本の実情に適した仕組みを開発し、提供できれば、私たちの事業にとって

もプラスの成果を得られ、次なるサービスの開発に投資を継続していくという好循環を生むことができます。実際に、2019年には、15万社にのぼる日本の中小規模の事業者様の、Amazon.co.jp上での年間取扱高は9,000億円にまで到達しています。

お客様のことがいつも頭から離れない Amazonという集団

Amazonでは、社員が普段の仕事から少し離れて長期的視野で話をする機会を設けているのですが、ある時、一人の社員がベゾスにAmazonにとって**Day 1**とはどんなものかと尋ねたことがあります。

ベゾスはこのように返答しました。「成長の過程では、どんどん違うステージが見えてくる。だから、持続的成長のためには、同じやり方を続けていてはいけない。次にくる波の大きさを思えば、それまでの成功体験における学びに対しては自動化やAIを活用し、仕事や権限の委譲をして、メカニズム化していくことが必要になる。これらのことを常に考え、続けていく必要がある」。

実際に、自動化やメカニズム化は、Amazonにおける日常であり、常に議論され、実行されています。インターネットの広がりにより、お客様も多様な情報をすぐに常時受けとることが可能な時代です。進化が加速度を増す社会環境の中で、現状維持の短期的な思考では、企業の成長はま

すます難しいものになるでしょう。

　ですから私たちAmazonは、常にお客様の声に耳を傾け、カスタマーエクスペリエンスにおける課題や機会について考え続けているのです。

　アマゾンジャパンで一緒に仕事をしている本部長の一人はこういいます。「仕方がない」と諦めてしまうケースが、どのお客様にもあるはず。そこに着眼し対応するサービスを提供し続けたいという思いがいつも頭から離れない、と。

　そうしたお客様のご不便を解消する方法を、お客様が気づかないところまで先回りして発見し、その提供のためのサービスを開発していくことが、Amazonの仕事の根本にあります。

　そしてこのお客様に関するあらゆることが頭から離れない状態を、Amazonでは**Customer Obsession（カスタマーオブセッション）**という共通言語で表現します。私たちの行動や考え方の根本をなすものです。

　以下に示すように、他の13条目とあわせ、計14条の**Leadership Principles（リーダーシップ・プリンシプル、以下LPと略記）**というものを私たちの行動指針としていますが、日常において、特にこの**Customer Obsession**を追求していくことが、私たちの仕事の原点であり、同時に、**Day 1**であり続けるために最も重要な姿勢であると位置づけています。

Leadership Principles
（リーダーシップ・プリンシプル）

Amazonには世界で共通のLeadership Principlesという14項目からなる行動指針があります。 Amazonでは、全員がリーダーであるという考え方のもとで、社員一人ひとりが、日々の活動において、常にこのLeadership Principlesに従って行動するよう心がけています。

Customer Obsession（カスタマー・オブセッション）

リーダーはお客様を起点に考え行動します。お客様から信頼を獲得し、維持していくために全力を尽くします。リーダーは競合にも注意は払いますが、何よりもお客様を中心に考えることにこだわります。

Ownership（オーナーシップ）

リーダーにはオーナーシップが必要です。リーダーは長期的視点で考え、短期的な結果のために、長期的な価値を犠牲にしません。リーダーは自分のチームだけでなく、会社全体のために行動します。リーダーは「それは私の仕事ではありません」とは決して口にしません。

Invent and Simplify（インベント・アンド・シンプリファイ）

リーダーはチームにイノベーション（革新）とインベンション（創造）を求め、同時に常にシンプルな方法を模索します。リーダーは状況の変化に注意を払い、あらゆる場から新しいアイデアを探しだします。それは、自分たちが生み出したものだけに限りません。私たちは新しいアイデアを実行に移す時、長期間にわたり外部に誤解される可能性があることも受け入れます。

Are Right, A Lot（アー・ライト、ア・ロット）
リーダーは多くの場合、正しい判断を行います。優れた判断力と、経験に裏打ちされた直感を備えています。リーダーは多様な考え方を追求し、自らの考えを反証することもいといません。

Learn and Be Curious（ラーン・アンド・ビー・キュリオス）
リーダーは常に学び、自分自身を向上させ続けます。新たな可能性に好奇心を持ち、探求します。

Hire and Develop the Best（ハイヤー・アンド・デベロップ・ザ・ベスト）
リーダーはすべての採用や昇進における、評価の基準を引き上げます。優れた才能を持つ人材を見極め、組織全体のために積極的に活用します。リーダー自身が他のリーダーを育成し、コーチングに真剣に取り組みます。私たちはすべての社員がさらに成長するための新しいメカニズムを創り出します。

Insist on the Highest Standards（インシスト・オン・ザ・ハイエスト・スタンダーズ）
リーダーは常に高い水準を追求することにこだわります。多くの人にとり、この水準は高すぎると感じられるかもしれません。リーダーは継続的に求める水準を引き上げ、チームがより品質の高い商品やサービス、プロセスを実現できるように推進します。リーダーは水準を満たさないものは実行せず、問題が起こった際は確実に解決し、再び同じ問題が起きないように改善策を講じます。

Think Big（シンク・ビッグ）
狭い視野で思考すると、大きな結果を得ることはできません。リーダーは大胆な方針と方向性を示すことによって成果を出します。リーダーはお客様のために従来と異なる新しい視点を持

ち、あらゆる可能性を模索します。

Bias for Action（バイアス・フォー・アクション）
ビジネスではスピードが重要です。多くの意思決定や行動はやり直すことができるため、大がかりな検討を必要としません。計算した上でリスクを取ることに価値があります。

Frugality（フルガリティ）
私たちはより少ないリソースでより多くのことを実現します。倹約の精神は創意工夫、自立心、発明を育む源になります。スタッフの人数、予算、固定費は多ければよいというものではありません。

Earn Trust（アーン・トラスト）
リーダーは注意深く耳を傾け、率直に話し、相手に対し敬意をもって接します。たとえ気まずい思いをすることがあっても間違いは素直に認め、自分やチームの間違いを正当化しません。リーダーは常に自らを最高水準と比較し、評価します。

Dive Deep（ダイブ・ディープ）
リーダーは常にすべての業務に気を配り、詳細な点についても把握します。頻繁に現状を確認し、指標と個別の事例が合致していないときには疑問を呈します。リーダーが関わるに値しない業務はありません。

Have Backbone; Disagree and Commit（ハブ・バックボーン；ディスアグリー・アンド・コミット）
リーダーは同意できない場合には、敬意をもって異議を唱えなければなりません。たとえそうすることが面倒で労力を要することであっても、例外はありません。リーダーは、信念を持ち、容易にあきらめません。安易に妥協して馴れ合うことはしません。しかし、いざ決定がなされたら、全面的にコミットして取り組みます。

Deliver Results（デリバー・リザルツ）
リーダーはビジネス上の重要なインプットにフォーカスし、適正な品質で迅速に実行します。たとえ困難なことがあっても、立ち向かい、決して妥協しません。

そこにある真実から逃げない組織文化

　Amazonでは、**Customer Obsession**を追求する際に、あいまいな事実を数値化していくことをとても重要なこととして位置づけています。

　例えば、データから見えてくる事実として、Amazonの大切なパートナーである日本の運送会社の皆さまの仕事の質がとても秀でているということが挙げられます。約束を守ること、生真面目さ、礼儀正しさなどを重要視する民族性も影響しているのだろうと推測します。

　お客様へのサービスの最終的な砦 ── 私たちはlast mile（ラスト・マイル）と呼んでいます──である運送会社の皆さまの日々の努力が、お客様の満足度につながっているという事実は、データ化することで明確化され、アマゾンジャパン内の部門間で共有でき、そこから、学びを得ることもできます。

　また、他のいくつかの国と比較して、日本でキャッシュレス化が進んでいないという面もデータとして正確に把握することができます。アマゾンジャパンにおいて、お客様

のライフスタイルに合わせてキャッシュレス化を進めるという対策を考える場合にも、この事実を捉えたデータが重要な役割を果たしています。

　そこで、Amazonではそうした膨大な各種数値データを組み合わせてメトリクス化し、「見える化」します。メトリクス次第で、分析や評価の正しさのレベルが向上していくことになります。私自身の任務としても、メトリクス化に伴う仕事に費やす時間は膨大です。この大切な工程での手抜きはAmazonではあり得ず、それはそうすることで、真実と向き合うことができるからです。理論的で前向きな議論ができるようになり、過去の延長線で考えることや、経験に裏づけされた偏見を取り除くことができます。会議では、意見を主張する人が議論の流れをつくってしまうこと、感情論が先行するといったことを防ぐことも可能にしてくれます。

　もちろんそうしたメトリクスだけで、深く掘り下げた活発な議論が可能になるわけではありませんが、事実をもとに議論することは、「公平さ」と多くの「新しい発見」をもたらしてくれます。

　ただし、データといくら向き合っても、まだ気づいていない視点があるかもしれないという謙虚さを常に持つことも大切です。メトリクスに操られる。もしくは意図せず操ってしまう。結果としてデータから見えてくる真実から目

を背けてしまう——。議論を進めるなかで、ともすれば多くの人間が陥ってしまいがちな過ちを避けるための方向づけを、私は意図的に行うようにしています。そのような大切な視点を社員に気づかせるために、Amazonの上席リーダーがいるといってもいいでしょう。

　そしてそうした組織文化の醸成に基づく組織運営を実現するために、共通の言語で、共有の概念をもつことの有効性を、私は日々実感させられています。

イノベーションに対するAmazonの 基本思想とは

　Amazonが提供しているサービスのなかで近年、話題性の高いものとして、米国シアトルで2018年にオープンした実店舗のAmazon Goが挙げられるでしょう。来店時にスマートフォンを専用ゲートにかざすことで入店でき、あとは買いたいものを自由に自分のバッグに入れて、レジ清算もなく、そのまま店を出ることができるという革新的なサービスです。

　実店舗におけるお客様を起点とする発想を追求していくなかで、このサービスは生まれました。日本ではローンチしていないものですが、このイノベーションに対する基本思想は、アマゾンジャパンにおいても共有されています。

　Amazon Goというイノベーションの主目的は、あくまでお客様であり、人件費削減などではありません。もちろ

ん少子化や人手不足という社会的課題は先進国を悩ませており、日本は課題先進国ともいわれています。団塊の世代と呼ばれる世代が75歳以上の後期高齢者になり、介護・医療費など社会保障費の急増が懸念される2025年問題が大変な事態を引き起こすのではないかという予測など、さまざまな見解があります。しかしAmazon Goは、そうしたマクロな社会的課題に対応するために誕生したのでもありません。

　実店舗において、レジに並ぶことが苦痛だと思われるお客様がいます。また長蛇の列に苛立つお客様がおられることはお店にとっても大きな課題です。それらに対するソリューションを提供するのが、Amazon Goというイノベーションの基本思想なのです。

　誰もやったことがない仕組みを開発することに多額の投資をしていく。AIやディープ・ラーニングなどの先端技術の開発や応用に、資金だけでなく人材も投入していく。そうして豊かな想像力と前例のない概念で開発し、お客様に提供することに強いこだわりをもち続けるなかで、このような発明が生まれてきたのです。

　Amazonのサービスは、お客様に選択肢をご用意するものであり、自らのイノベーションでお客様を左右することを目的としません。あくまで主体はお客様であり、選択の自由をご提供することを大切にしているのです。だから、

ご注文いただいた商品の配送オプションにおいても、時間指定から**置き配**まで、多くの選択肢を提供するようにしているのです。

　自社を主体とするイノベーションありきの戦略は、長期的視点で見れば、企業の存在価値そのものに影を落としていくのではないか。そんな危機感を常に持ち続けて、**Customer Obsession**を念頭に据えた組織文化を育てていきたいと思っています。同時に、「10年後に何が変わるかよりも、何が変わらないかに着目したほうがよい」というAmazonの長期的な視点を基本として、お客様を起点とするイノベーションをこれからもアマゾンジャパンは大切にしていきます。

企業理念が額縁に入れられただけのものであってはならない

　Amazonの経営について、さまざまな識者が解説をされています。Amazonの戦略における優位性を指摘するものもあれば、**Amazonプライム**のサブスクリプションによる収益性など、ビジネスモデルに着眼しているものもあります。

　ただ、アマゾンジャパンの経営に20年ほど携わってきた立場から、これらの見解の多くは、企業理念や組織文化の重要性について語られていないように感じています。

　どんなに優れた戦略と人材を擁しても、その戦略を魅力

あるものにし、その人材を躍動させるのは、企業理念という目に見えない価値観なのではないでしょうか。現代ではどの企業も、企業理念を掲げる時代です。どれもが高邁な理想を表現しています。しかし、それを単なる美辞麗句にしてしまうかどうかで、企業の在り方が決定づけられると私には思えるのです。

　Amazonは自らの経営が次第に軌道に乗り始めた2000年以降、実際にそうしたことに注意を払い、策を講じるようになりました。現在の私たちの行動指針であるLPを創り上げ、逐次改訂しながら、前掲の14条に収れんしてきたのがその確たる証左です。ミッションを具現していくうえで、どんな人材とどのような行動が望ましいかを、Amazon内でずっと考え続けてきたのです。

　このLPは額縁に入れて飾られた言葉ではなく、私たちの日々の行動に直結し、息づいているものだといえます。そのため、unless you know better ones（さらに良い考えが出てくるまでは）という言葉が添えられており、もっといいものがあればさらに変えていくことをAmazonでは推奨しているのです。

　最初の頃には、例えばEvery person is a leader, not about hierarchy という条項がありました。一人一人がリーダーで、職位の上下は関係ないといった意味ですが、現在では、一人一人がリーダーであることがLP全体にかか

る前提であり、**Ownership**を一人一人が持つことで職位
は関係なくなる、という意味合いで包摂されています。
LPという行動指針も絶えず進化し続けているのです。

　ですから、組織の規模の拡大や業態の変化によってもた
らされる戦略を実行するうえで、拠り所となる能力や行動
指針も進化を遂げていかなければならないということを、
Amazonが証明してきたという実感が、私にはあります。
そしてAmazonの25年間の経営活動は、Amazonらしさ
の追求であったともいえます。

　創業者のカリスマ性と、経営上の優れたイノベーション
や戦略構築だけで、これまでの成長があったわけではない
のです。そして私自身、Amazonらしさの追求を大切にし
ている組織の経営に従事できている幸運に日々感謝してい
ます。ただ同時に、その幸運も永遠なものではないことも
強く認識しているつもりです。

　社員が8,000名を超えるようになった現在のアマゾンジ
ャパンにおいては、仕事を単純化し、生産性を上げていく
ための自動化は不可欠なものになっています。未来の望ま
しい状態を描くことができれば、現状はまだ改善の余地が
あるということを理解するのが人間ですが、現状に甘んじ
ることを許容するのも人間です。

　価格決定から物流管理まで、AIやマシーンラーニング
をより積極的に導入して、自動化の可能性を拡げていく必
要に迫られていることを、今は強く意識しています。これ

らのツールを積極的に使っていくことは、企業理念を実現するために必要なメカニズムを創造するうえで不可欠なのです。

　そして、だからこそアマゾニアンが、ミッショナリー（伝道者）であると同時に、ビジョナリー（事業の将来を見通した展望を持っている人）であることが大切になってくるのです。

　LPとともにある現場で生まれる日々の躍動と長期的思考の調和が、Amazonらしさを創り上げ、今も、Amazonを動かし続けています。

第 I 部

お客様は無限、仕事も無限

1章 Day 1であるために
—— 一人のアマゾニアンとしての私の仕事法

草創期からのアマゾンジャパンと私の成長

　アマゾンジャパンの20年間の歴史を振り返ると、2000年から2007年頃までが草創期とするならば、2013年頃までが飛躍期で、それ以降が成長期に入っているように感じています。その過程において、私にとって一番印象に残っている時期を挙げるとすれば、やはり草創期の書籍販売から始めた2001年頃、つまりスタートアップの時期です。

　2000年4月にナスダックの崩壊があり、その影響でAmazonに対する社会からの期待値が下がってしまい、それは株価にも顕著にあらわれました。その余波もあって、日本でのスタートアップの時期に、資金繰りなどの経営面で厳しい状況が続いたのです。

　当時の米国と日本における書籍の販売事情には、決定的な違いがありました。販売価格の決定者が違うのです。米国では小売店が値引き販売をできるのですが、日本では再販売価格維持制度によって、出版社が値づけした定価での販売が原則であり、基本的に値引きができないのです。米国でよくある新刊の大量値引き販売などもってのほかでし

た。

　そうしたなかで、書籍だけで売上をアップさせ、利益を出し、経営を成り立たせることなど到底できないのではないか、そう思わざるを得ないような状況が続きました。

　人員も少なく、どうやって経営を軌道に乗せるかということで頭がいっぱいでした。私は30代で血気盛んな年代ですから、経営に関わる会議では口角泡を飛ばすといったこともありました。みんなも同じで、チームによっては退社後にカラオケボックスで議論を続けるというような、スタートアップの雰囲気がありました。みんながやりがいをもって、この会社で何かを成し遂げようと心に夢を抱いている。厳しい経営のなかでも、社員のパッションは持続され続けていたように思います。

　Day 1という言葉はまだ知り得ていませんでしたが、**Day 1**の状態が会社中にみなぎっていたのです。

　取り扱うカテゴリーが書籍のみという経営において、どうやって成長を生み出すか。そのことをみんなで考えるなかで、送料が一律500円だったサービスを送料無料にするという施策の検討に焦点が絞られました。そして試行錯誤の末、送料無料の対象となる書籍の価格の下限を1,500円とすることになりました。

　当時、どのくらいの価格でそのラインを引くべきかについて、創業メンバーで議論がなされたのですが、世界各国

での参考データもまだ存在しない時代です。AIを活用してダイナミックプライシングに取り組んでいる近年の状況からすれば、なんと原始的で直感的な決定かと我ながら思います。それでも、1冊1,500円以上で無料配送なら、Amazonで注文しようと思ってくれるお客様が増えてきたのです。つまり、当時としては価値ある決断ができていたのです。

　この送料無料の次なる手はというと、品揃えの拡充でした。まずはCDやDVD、ゲームなどの商品です。次に、メディア以外の家電商品へと扱うカテゴリーを拡げていきました。

　今思うと、品揃えを充実させていくことで、カスタマーエクスペリエンスが向上し、その後、Amazon.co.jp上で個人や企業に商品を出品・販売していただく**マーケットプレイス**を導入することによって、さらに品揃えを拡大させることができたという好循環が生まれるようになったのも、この頃です。

　そして2002年以降、徐々に米国本社のAmazon.comが歩んできた成長のサイクルが、アマゾンジャパンにおいても回り始めたのです。

　しかもこの時期、一つ一つの仕事に真摯に向き合っていくなかで、幸運にも恵まれました。ちょうどADSL（電話回線を使ってインターネットに接続するサービス）からブロードバンド（膨大なデータ容量を高速で通信できる回

線）に入れ替わるという日本での環境変化があったのです。特にYahoo!BBの大胆な宣伝・販売活動は、アマゾンジャパンの経営にとっても追い風になりました。孫正義さんをはじめとするソフトバンクの皆さんには、今でも感謝しています。彼らの突破力によって、明らかに日本の個々人が使用するインターネットの環境が良くなる契機が創出されたわけですから。

　IT企業が勃興する世界に少し遅れて参加した私でしたが、この草創期の体験によって、企業というものが、社会や様々な会社組織、そして人々に助けられながら成長していくものだという実感を得ることができました。同時に、この経験において、誰かのために働くことの大切さ、日本の伝統精神ともいえる自利利他の精神の大切さに気づくことができたのは、とても幸運なことでした。
　あわせて、成功という概念に対して自分なりの考え方を培うこともできたように思います。Amazonの事業においては、成功と呼べる体験は一つの通過点であり、真の成功への一里塚だと思えるようになったのです。
　そして、他者から成功していると見られている時期も、「地球上で最もお客様を大切にする企業になること」という永遠の目標を実現していないかぎり、成功とはいえないと心から思えるようになっていきました。

Day 1であるための私の仕事法〈1〉

今に集中する

約20年前、Work hard, Have fun, Make history という創業者ベゾスの掲げたスローガンは、Amazon とアマゾニアンの願いが、単なる売上をつくることにあるのではなく、歴史をつくることにあることを意味しています。だからこそ、当時のアマゾンジャパンで働く社員の心にも深く響くものだったといえます。

今まで誰も踏み込んでいないアマゾン川流域のような広大で未開の地に、勇気を持って、リスクを恐れず、自らの歩を進めていく。お客様を大切にするための機会と可能性があるかぎり、懸命に前進を続ける。そうした考え方が、それぞれの心に自然に入りこみ、**Day 1** な日々をみんなで過ごしていたのです。もし組織がDay 2のような状態に陥っていたら、Make history などという言葉は、誰もが違和感を覚えて、口にしなくなるはずですから。

では、その草創期から次のフェーズへ移行していくなかでも、望ましい **Day 1** の状態を維持し続けるために、私たち企業人は何をどうすればいいのでしょうか。

私はというと、私なりの方法を創り上げ、心の在り方や態度、考え方を自分なりに鍛え上げてきたつもりですが、まずは昨日の自分と今日の自分は違う存在であるというこ

44

とに気づくことが必要だと考えています。

　例えば、昨日の自分は自分なりに考え、理解し、解釈をし、判断をした。しかし、それらのことはどれをとっても、今日も正しいということにはならない。逆にいえば、昨日のうまくいかなかった自分は、今日の自分ではない。今日はうまくいく自分が、今、ここにいる。今日の新鮮な気持ちで、自分なりに考え、判断し、行動をしよう。このようにポジティブに考えることで、柔軟な思考や判断ができる世界を自分のなかに保つ努力をしてきました。

　ただ私は、毎日が非連続に存在していると考えているわけではありません。今を大切にするということは、過去を軽視し、未来を計画しないというわけではないのです。

　禅の修行で坐禅を組むとします。するとたいていの人は、雑念が湧いてきます。それを見抜く和尚さんが、棒で背をたたく。でも、今に集中している人には雑念が湧かないから叩かれない。

　この、今に集中して仕事をすることの大切さを、『POWER OF NOW』(Yellow kite 刊) などの著作で世界的に著名な作家のエックハルト・トール氏から私は学びました。

　彼の教えを知ったのは、カナダでP＆Gに在籍していた頃に、会社の同僚に誘われて彼のセミナーを体験したのがきっかけでした。そして私は、彼が説くことが、人生においても、ビジネス・経営の場においても、大いに活かせる

ことに気づきました。30代の頃に、まさに啓発される体験をしたのです。そうして、自分の仕事の質を向上させ、生産性を高めるうえで、今に集中することが、次第に習慣的にできるようになっていったのです。

　失敗をした。悪い結果が出た。しかしそれはもう過去である。その過去を今に引きずってしまうと、目の前にモヤモヤとした霧が出てきて、正しい道に進めなくなる。過去を断ち切るのはその過去を正確に把握することだ。失敗を、失敗ではないと思い込もうとする習性は誰にでもある。でもその習性にさよならをしなければならない。それが自己のなかで可能になると、過去の失敗も成功も含めた経験が、前進するための邪魔をしなくなるのです。

　ただ、トール氏に学んだこのような心の在り方や態度を維持することが、誰にでも適していると思っているわけではありません。個々人に人格や志向性、素質、能力といったものがあるのですから、それぞれに適したものがあるはずです。

　ですからアマゾンジャパンの社員には、それぞれの体験に応じて、**Day 1**であり続けるための自分なりの心の姿勢や態度、そして日々の習慣をつくり上げてもらいたいのです。そうすることで、アマゾニアン全員が、最も重視すべき **Customer Obsession** に対する集中力を高めていくことができるだろうし、それぞれの仕事と人生が、より充実したものになるはずですから。

Day 1であるための私の仕事法〈2〉

好奇心と聴きにいく力を高め続ける

　私はまた、聴く力を高めていくことも、非常に重要なことだと認識しています。日本語の傾聴という言葉が、ビジネスの世界でもしばしば使われていますが、そもそも自分の内なる声しか聴かない、耳を傾けないような姿勢で生きていては、人生も仕事も偏屈なものになってしまうのではないでしょうか。

　アマゾンジャパンでは、年度ごとの方針発表が2回、秋と春にあります。All Hands（オールハンズ）というのですが、緊急事態にはAll Hands on Deck（オールハンズ・オン・デック）という場もあります。会議場を借りて開催しますが、同時にネットでもつないでいます。その場では、私も可能なかぎり、社員と直接対話することを心掛けています。

「今、アマゾンに対してこういう厳しい声があるようですが、どのようにお考えですか？」といった社員からの厳しい質問にもしっかり答えるために、30分ぐらいの質疑応答の時間が設けられています。じかに聴き合い、話し合う関係性はとても大事なものだと考えています。

　さらにいえば、聴くために聴きにいくということが非常に大事だとも思っています。それは、一緒に働いている仲

間だけでなく、お客様すべてを含めてです。世の中のものすべてに聴きにいく自発的な姿、そしてそれを活かそうとすること。それこそが聴く力なのだと私は考えています。

またそのためには、絶えざる好奇心が必要になります。自分の仕事以外のことに価値を認めない、自分には関係がないし意味もない、というような姿勢とは相反する姿勢が必要になるのです。

一見ルーティンのような業務でも、その都度、新鮮な気持ちで集中して資料に目を通すと、前週に何があったかがよく見えてきて、さまざまな関心が湧き上がってきます。

その週に起きた色々な事象について、それは果たして本当に大事なものなのか、どれほど面白いビジネスになるものなのか、といったことを担当のアマゾニアンと共有できることに、私は大きな喜びを感じることができます。

また、些細な点にも興味や関心をもつ性分の私は、今起きていることによって、次にどういう影響が生じるのだろうかといった疑問を常に抱くのです。さまざまな事象に含まれる意味合いに対して、自然に好奇心が湧いてくるのです。

ビジネスの運営上でも、様々な事象が日々起こりますが、それに対して私が知識不足の場合もあります。そのため、担当しているチームが発明をして、イノベーションを起こそうとしているとき、それがどんなに小さなものであっても純粋に「面白いな、もっと詳しく知りたいな」とい

う気持ちになります。いつも勉強モードにあるといえばいいのかもしれません。

　ですから、Amazonの**LP**にある**Learn and Be Curious**、**Invent and Simplify**、**Dive Deep**などは、これらを実践していくこと自体が私自身の喜びであり、楽しみでもあるのです。

　常に変化する環境のなかに、あえて自分の身を置き続ける。何をなすべきかの自問自答を繰り返す。そうすることで、自然と知識を得る努力をし、柔軟性を高めることになるのです。しかし、変化はときに不快感をもたらし、私たちの方向感覚を失わせる場合があります。それまで習得した能力が、以前ほどは役に立たなくなるからです。それでも、その変化に即応する柔軟性と俊敏さを維持し続けないかぎり、未経験の領域にすばやく入っていくことは難しくなります。お客様の声を代弁し、リスクを取って発明することもできなくなります。

　自らが関わるビジネスにおいて問題が発生した場合に、収束することを傍観するだけになってしまいます。その場しのぎの対応で満足してしまう人材になってしまいかねません。

　だからこそ、自らが行動を起こし、抜本的な問題解決に臨むことで、本当の喜びを得るという経験の積み重ねが必要になるのです。問題が生じたならば、それを生じさせた

本質や核心にまで立ち戻る。そして、その場かぎりではない解決のための仕組みをつくることは、**Bias for Action**だけでなく、**Dive Deep**そして**Insist on the Highest Standards**が活かされる機会にもなります。

それは容易なことではないかもしれません。他者からの意見や知恵も必要でしょう。そのためにも、聴きにいく力が重要になってくるのです。

聴きにいくうえで大切なのは、他者からの意見や洞察なしに、自分の行動や真の姿を正確にとらえることなどできないという、客観性と謙虚さです。同僚だけでなく、メンターやマネージャー、そして何よりもお客様の声は、改善すべき点を発見させ、自覚させてくれます。聴きにいく力は、マイナス面だけでなく、ときには気がついていなかった自らの強みを発見することもあります。

以前、**LP**にはVocally Self-Criticalという条項がありました。リーダーは自分と自分のチームの欠点や間違いを率直に認めるといった意味ですが、現在では**Earn Trust**にその意を含むようにしています。他者から信頼を得るためには、謙虚に自省をする力が必要不可欠だからです。

Amazonでは、よきリーダーは失敗したという事実そのものに重きをおかない、という共通認識があります。誰が失敗したか、何を失敗したかではなく、原因そのものに関心をもつのが、よきリーダーであると考えているのです。

新たな視点で、自身のこれまでのやり方と他者からの意見や洞察を照らし合わせ、常に見直す姿勢を大事にする。そうして新しいプロセスを考え出し、試していく。他者からの意見や洞察に耳を傾け、自身の行動に取り入れるというプロセスの繰り返しが、リーダーとしての判断力を磨き上げることになり、**LP**にある **Are Right, A Lot** であることの基盤を創り上げていくのです。

　個人レベルでこのプロセスは、多くの成功者たちが成し遂げてきたことだと思います。今も多くの人が学び続けている経営者の代表格・松下幸之助さん（故人）もそうだったといいます。彼は「自己観照」という言葉を使っていたそうですが、世の中の声に耳をよく傾けつつ、日々の自問自答を大切にして、自らリーダーとしての次への行動に反映させていたといいます。また個人レベルだけでなく、組織レベルでそうした行為が重視されるなら、自然と暗黙知が形成され、それぞれの企業の強みも醸成されていくのではないでしょうか。

　社会から長らくその存在を認められるリーダー、そして組織に求められる行動指針というものは、時代が変わっても、根本的なところでは、そう変わるものではないように思えてなりません。

Day 1であるための私の仕事法〈3〉
情報を活かしてメカニズム化する思考を身につける

　Amazonでは、お客様からの声を含め、お客様のために活かすための様々な情報や知見を、自らの意志と行動で積極的に取りにいくことができる環境づくりを大切にしています。

　私自身、できるかぎり自分のネットワークを広げることが大事だと常に意識しており、Amazon内に存在する様々なグループを情報源にしています。私だけでなく、アマゾニアンの一人一人が、自己の責任において自分にとって有意義なグループを自分で見つけて、彼らのメーリングリストに登録し、積極的に活用しています。

「私はこういう案件を動かしているので、似たような状況がないでしょうか」というEメールを出すと、アマゾンジャパンだけでなく、各国の経営陣からも参考になる情報を共有してくれるのです。

　私は現在、350件ほどのメーリングリストに登録をしています。新人社員が参加しているグループもあります。すべてがアクティブなグループではないのですが、私の情報源として、とても大切なものとして位置づけています。

　また、お客様からのご要望やお問い合わせのメールもよく見るようにしています。私に直接届く場合もありますが、基本的にはカスタマーサービス部門に届くものに目を

通しています。

　販売事業者様に対するサービス部門に届くものもあります。出品してくださっている販売事業者の方々からのご要望やご不満に関しては、それに対応するためのメカニズム（仕組み）を、どう強化していくかということが、とても重要です。

　私からすれば、不満はイコール欠陥です。今あるメカニズムによって、不具合が発生してしまった。その不満を解消していくには、不具合のある箇所について深く検証し、どう改善するかを考え抜き、アクションを起こして、強化をしていく。そのように、常にメカニズムの組成や構築を意識して、ビジネスの持続可能性を実現することが、新たなフェーズに入っているアマゾンジャパンにおいて、より重要になってきています。

　創業者のベゾスは以前からGood intention doesn't work, only mechanism worksという点を常々強調してきました。個々の社員の善意に頼っているだけでは、結局、事業はスケールアップしない。組織が大きくなるにつれて、メカニズムをしっかりと創り上げる。その共有により、誰もが少ない労力で動かせるようにすることを重視するからこそ、Amazonは成長を続けることができ、より多くのお客様に寄り添うことも可能になるのだと思います。

　機能するメカニズムが増えるほど、人による判断ミスは

少なくなります。各国の事情によって微調整が必要になりますが、メカニズムを創出することで、リスクを回避することもできるようになります。

　人間は本来、誰もがよいものをつくりたいし、よい結果を出したいものです。だからこそ会社は、それができるような環境を用意していく必要があります。メカニズムがあることによって、小さな一つの事業が全世界へ展開することさえ可能になるのです。そのことをAmazonが証明し続けていきたいと思っています。

Day 1であるための私の仕事法〈4〉
イノベーションの源泉を大切にする

　私には息子が1人いるのですが、彼の好奇心を見ると、人間という存在の素晴らしさを本当に感じます。誰もが幼い頃にもっている好奇心を、子育てという体験のなかであらためて目の当たりにしています。

　私自身、妻の毎日の子育てに、できるかぎりの協力をしているつもりです。皿洗いもしますし、庭の手入れは完全に私の担当です。子供の習い事があるときは、車で送り迎えをすることもあります。

　家族との時間を大切にしたいと思うことで、それまでの仕事の進め方を見直すこともできました。例えば、昼食時は自分1人だけで過ごす時間と決めて、その分、仕事における集中力を高める努力などをするようになりました。

　育児体験において、豊かな学びがたくさんあります。一つには、私とは違う、子供から見える世界があるということです。言葉にすると当たり前のことになってしまうのですが、その当たり前のことが体験してみてはじめて自覚できたのです。そのこと自体、私にとっては大きなインパクトがありました。

　ある意味、子供は私のお客様であり、消費傾向などの現実を見せてくれる先生だといえます。つまり、私がイノベーションを生み出していくうえで重要な自らの好奇心を高め、維持していくうえで、子供は大切な源泉の一つともいえるのです。

　私は、香港大学で工学の学位を取得しましたが、就職先のキャセイパシフィック航空では、航空機の企画官の職に就き、製造開発などの仕事には関わっていませんでした。チャーター便の値づけ、配置手配、ツアーの企画、さらには航空機の購入から運用までの一切の責任を負うような仕事をしていました。そのあとに一念発起してカナダのトロントに渡り、MBAを取得し、Ｐ＆Ｇでフィナンシャルアナリストとしての職に就きました。ですから、理系の仕事を職業にしてきたとはいえません。

　それでも、エンジニアやプログラム開発のような仕事には、今でも興味がそそられます。実はアマゾンジャパンの社長の仕事をしながら、アイディアを考案し、特許を取得

したこともあります。社内のアワードも受賞しました（ご関心のある方は米国の特許庁で、パテントナンバー10248991を検索してみてください）。

　Amazonのビジネスに何らかの貢献ができるのではないか、そういうつもりで10年ほど前に考案したものです。その趣旨を簡単に説明すると、街頭をゆく人々をドローンなどで撮影した動画から、人ではなく持ち物にハイパーリンクをつけてオンラインストアに誘導するというものです。休日に街に遊びに出掛け、すれ違う人を見て「あの人のバッグ、いいなあ」と思うことがありませんか。しかし、それをどこで買えばいいのか、調べるのが難しいことがよくあるはずです。そうしたお客様の要求にお応えするためのシステムを考案したのです。

　こうしたアイディアをめぐらしていくにも、さまざまなIT知識が必要になりますから、自然と勉強をしていました。自らそうした課題をもって、私生活でチャレンジしてみることは、好奇心を維持していくことにつながるように思います。そしてAmazon全体を見渡すと、好奇心の権化は、やはり創業者のベゾスだといえるでしょう。

　ベゾスは、Amazonの経営とは別に、個人の事業として、ブルーオリジンという宇宙開発事業を手掛けています。成功者といわれるようになっても、常に実践家であろうとするところが彼の尊敬すべき点だと思います。

　ベゾスは、2016年の株主への書簡のなかで、Day 2を回避する方法について、単純明快な解答はないけれども、それなりにわかっていると記しています（巻末原文資料参照）。それは、Amazonが創業以来25年間に積んできた経験から得られたものであり、その知恵がLPなどの企業理念に凝縮されているのだと私は理解しています。

　ただ、ベゾスの解答を明確に示したとしても、他の企業でもそのままうまくいくというようなものではなく、それぞれの企業に、それぞれの解答があるのだと思います。それでも、自社ならではの解答を探し求めるうえで、Amazonの経営姿勢が参考になることがあれば、とても嬉しいことだと思うのです。

Day 1であるための私の仕事法〈5〉
習慣をつくる

　さて、ここで質問です。あなたはまず、朝、目覚めた時、何が気になるでしょうか？　そして夜、寝る前に何を考えるでしょうか？

　私の朝は、6時前にはじまります。そしてまず、スマホでIT関係のニュースをざっと見ていきます。毎日24時間、世界で新たな動きが生じているので、朝起きた時、気になります。インターネットに関するどんな動きがあるのか。それに対して、日本や米国の政府はどう対処しているか。そうして得る情報をもとに、インターネットやテクノ

ロジーの世界の変化をどう捉えていくべきなのかを日々意識するようにしています。

　そのあとに、ストレッチや体操をします。仕事で自分の体をきちんと動かすための、ウォームアップです。その間は、具体的な仕事のことは考えないようにしています。もちろん、例外的な日もありますが、Eメールなどはあえて見ないようにしています。このように生活のリズムをつくり、習慣化しているのです。

　私が尊敬している日本人経営者の一人に、京セラ創業者の稲盛和夫さんがおられますが、彼はとても興味深い朝の習慣をもっていたようです。著書をKindleで何冊も読みましたが、『誰にも負けない努力』（ＰＨＰ研究所刊）という近刊には、反省についての習慣が述べられています。

　仕事の会食があった次の朝のことなのでしょう。朝起きて洗面するときに、昨夜は相手のどなたかに失礼なことを言ったのではないかと感じて反省し、鏡を見て、自分自身を大声で叱咤することがあったというのです。

　自分なりの生活のリズムを維持する努力や、一日の終わりと始まりに反省をするという習慣は、とても大事なことだと思います。夜に、今日も自分はDay 1であったかと省み、明朝には今日も新しい日が始まると思いを新たにすることは、誰もが取り組めるはずです。

　しかしながら、反省というと、後ろ向きな気持ちになることもあるかもしれません。超ポジティブで積極的な人

は、反省することで謙虚さを保つことができるもしれませんが、そのような人は、ごく稀なのかもしれません。それならば、反省ではなく反証という言葉を使ってみてはどうかと思うのです。

　実はAmazonの**LP**の**Are Right, A Lot**の日本語訳で、この反証という言葉を用いています。「リーダーは多くの場合、正しい判断を行います。優れた判断力と、経験に裏打ちされた直感を備えています。リーダーは多様な考え方を追求し、自らの考えを反証することもいといません」というものです。

　この表現には、後ろ向きにさせるような要素はありません。むしろ失敗と思える経験もプラスにつなげることができるのだと思えるようになり、反証を含む日々の行動が、**Day 1**であり続けることを助けることになるのではないでしょうか。

　また、これらの生活習慣だけでなく、日常の仕事における行動習慣にも、自分に適したルールをつくることは有効なように思います。

　例えば、アマゾンジャパンでは7〜8月に企画会議が多くなるのですが、私はほぼ2時間ごとにそうした会議に出席するため、空き時間がなくなります。1週間で20回ほどの会議です。それぞれが真剣勝負の場なので、常に体調をよい状態に維持して会議の参席者と対峙することも私の

責任であり、義務だと思っています。オン・オフを意識して、自分の状態を管理し、前向きな意味での戦闘態勢を維持することを大切にしています。日々最高のパフォーマンスを出せるように、自分の心と身体を日々整えるように心掛けています。

　例えば、Ｅメールについていえば、私は１つのＥメールを２度開いて返信することは、非効率だと考えています。開くのは１回。その１回でしっかりと考え、返事を出す。些細なことのようですが、これを習慣にしています。

　もちろんこの私のルールには、マイナス面もあります。非常に重要なＥメールが入っても、すぐに確認できないこともあるわけですから。それでも、会社でも在宅でも、できるだけ集中できるような場をつくるようにし、きちんと時間をとれるときにメールを開き、真摯に返事をすることを自らに課し、徹底しています。

　そもそもアマゾンジャパンの社員は、一人一人がリーダーですから、それぞれが**Ownership**を持って業務にあたっています。私が常に目を光らせ、指示をしたりする必要はないのです。

　今に集中することの大切さについての私見を前述しましたが、それは同時に、自分の意識を分散させないようにするということでもあります。Ｅメールだけでなく、会議でも、１つのトピックから離れて、別の方向に行ってしまうようなことはできるかぎり避けたいものです。１つのトピ

ックが終わるまでは、次へ行かない。そうした規律を保つことを私はとても大事にしています。結論まで到達できずに、ダラダラと会議が進み、終わりがないということが起きないようにするための規律です。

「この前に話した問題は結論が出なかったけれど、その後、どうですか?」というようなことを続けていると、お互いのエネルギーをひどく消費してしまいます。その場できちんと終えて、「あとは、○○さん、あなたの責任になりますね」とその場で権限を委譲する。そうすることで、一人一人がその仕事を自分で管理し、進めていくことができるのです。

　このような行動の積み重ねは、日々の成果に満足しないということでもあります。**Day 1**であるということは、もしかしたら毎日、自己新記録を出し続ける人のことをいうのかもしれません。

Day 1であるための私の仕事法〈6〉
自分なりの心の姿勢をもつ

　書籍を売ることから誕生したAmazonで仕事をする私自身も、本が好きです。本には、物的欲求だけでなく、精神面での欲求に応えるものがたくさんあります。そうした本を、Amazonを通してご提供していることを誇らしく思っていますし、私自身が大きな影響を受けた本もたくさんあります。

ビジネス書といわれるジャンルでは、経営コンサルタントのスティーヴ・ザフロン氏の著作を原書でよく読んでいます。なかでも『The Three Laws of Performance』（Jossey-Bass刊）というデイヴ・ローガン氏との共著には影響を受けました。「未来を書き換える」というテーマについて説いた本なのですが、ザフロン氏がリーダーの精神面をとても重視していることから、私の志向性に合うようです。

　同書では、大きな組織をつくるうえで、人間の関係性というもの、さらにそのコミュニケーションのなかで使用される言葉というものを、非常に重視しています。その関係性が、各人のパフォーマンスに大きな影響を及ぼすからでしょう。社長としての自分の行動や思考を見つめ直すうえでとても参考になるものでした。

　この本のなかでインテグリティという言葉が出てきます。私なりの日本語訳は、「正しいことを正しくやる」です。日本の多くの経営者に今も影響を及ぼし続けているピーター・F・ドラッカーがよく使う言葉です。日本語では、真摯さ、誠実さや信頼性と表現されることが多いようです。リーダーが周囲と関係性を築くうえで、その土台となる心の姿勢を示す言葉であることはまちがいありません。そしてこのインテグリティは、アマゾニアンがAmazonのLPにかなう行動をしていれば、自然と発揮されるものだと思っています。

　また、先に触れたエックハルト・トール氏には、著書だけでなく、セミナーなどでも影響を受けました。私が学び得たのは、自分の人生には自分がつけたいと思う意味をつけることができるということです。自分の人生を自分の意志で切り開いていくことで、自分の人生に意味をつける。それは、究極の **Ownership** といえるでしょう。

　人生を歩んでいくなかで、過去というものが手荷物のように思えた時期が私にはありました。しかもその荷物はどんどん増え続け、重みを増していく。そんな感覚でした。

　多くの荷物、つまり過去をずっと抱えたままで前進しようとすると、過去に引きずられ、さまざまな支障が出てくる。そんな感覚が、自分に覆いかぶさっていました。さらにいえば、自分の家族や教育環境、さらには今なぜ自分はここにいるのかといったことに対しても、さまざまな意味があるはずだと考えるような人間でした。しかし、そもそも意味がないものに、自分や誰かが意味をつけているだけだと気づいた時、私は変わることができました。

　自らが自分の人生に意味を与え、自分で人生をつくっていく。そうした自分なりの心の在り方や態度を育んでいくことで、それまでの自分という存在から解放感を得ることができたのです。

　だから、今に集中し、今で完了させることを、私は大事にしているのです。

近年、マインドフルネスという言葉が知られてきています。瞑想をして、今だけを考えるトレーニングといった意味のようで、社内研修に取り入れている企業もあるようです。これも、今を大切にするという点で、通じ合うところがあるように思います。

Day 1であるための私の仕事法〈7〉
無意識の偏見を取り払う

　前述したAmazonの**LP**の**Are Right, A Lot**は、多様な考え方を追求するという解釈を示しています。多様性すなわちダイバーシティは、今日のビジネスにおける重要トピックであり、アマゾンジャパンでも、そのための意識改革を2016年頃から、積極的に取り組み始めています。

　それぞれの人に、それぞれの歴史や背景がある以上、それぞれの視点や志向性が異なるのは当たり前のことです。しかし人間は、残念なことに、会社組織や地域社会の一員として、気づかないうちに偏見ある認識をもって、物事を判断してしまうことがあります。

　そうした無意識の偏見というものは、心の在り方や姿勢に深く根差すものであり、日々の言葉の選択肢にまで影響を及ぼしています。リーダーであれば、自分とともに働く人のパフォーマンスを評価することが仕事の一つですが、そのような場合にも大きく影響を及ぼしてしまう要素とし

て、無意識の偏見について認識をしておく必要があると思いますし、私も常々意識するようにしています。

　例えば、好きか嫌いか、相性がいいか悪いか、という言い方は、企業の組織人事においても案外、当たり前のように使われているのではないでしょうか。このようなことを意識した人の組み合わせの妙によって、組織として大きな成果を出すという側面も否定はできないでしょう。それでも同質性の高い人たちばかりで運営する経営は、少人数の企業であれば効果があるのかもしれませんが、日々成長・伸展をしていきたいと考える企業においては、その妨げの要因の一つになるのではないでしょうか。

　そもそも**Day 1**の状態にあるリーダーは、刻々と変化し続ける社会のなかで、日々新鮮な気持ちで、その日を懸命に生きる人なのですから、自己肯定をしてしまう自分といつも闘い続けています。そして、常に自分の考え方を正しい方向に向けていくこと、さらに自分の考えを変えることを恐れない勇気をもつ人だといえます。それにより、無意識の偏見にとらわれる範囲が狭くなり、より広範で積極的な経営も生み出されるにちがいありません。ですから、多様な人材、そして異なる考え方や視点を積極的に受け入れていくことは、よりよい組織文化を創り上げていくうえで不可欠なものだと思います。

　実際、アマゾンジャパンで積極的に採用している女性や外国籍のマネージャーは活躍の場をどんどん広げていま

す。その効用として、今まで気づかなかったような視点が、あらゆる議論の場で提供されるようになります。おかげで、議論は深まり、質も高まっていきます。

　無意識の偏見を減じていくことは、道徳的であるというだけでなく、価値の創造に結びつくものなのです。組織にも個人にも、成長のための刺激をもたらしてくれるのです。そうした意識を社内で共有していくことが、これからのリーダーにはますます求められていくことでしょう。私もそのことを強く自覚しているつもりです。

　もちろん、違いや異質性を受容していくことが、いつもよい方向に向かうとはかぎりません。悪く作用してしまう場合には、その状態をしっかりと把握し認知して、指摘の上で修正しなければなりません。

　ちなみにこの多様性を重視する姿勢は、Amazonだけでなく、私が在籍していたＰ＆Ｇでも当たり前のことになっていました。以前に住んでいたカナダでは、私は、人種的にマイノリティに該当したわけですが、そのことが障壁になっていると感じたことは一度もありませんでした。Ｐ＆Ｇのような会社は、主に一般消費者をお客様とするわけですから、無意識の偏見がとり払われた仕事がなされていなければ、世界的なブランドとして社会からの信頼も得られなかったでしょう。

　これからのグローバル企業にとっては、多様性は社会的

な責務というよりも、生存し続けるための必須条件になる
といってもいいのではないでしょうか。

Day 1であるための私の仕事法〈8〉
いつもCustomer Obsession

　これまで、革新的なリーダーとしての自分を創り上げて
いくうえで、資するところがあると思われる心の在り方や
姿勢について私なりの見方・考え方を取り上げてきまし
た。この最後の8項目では、組織や社会におけるイノベー
ションという観点から、**Day 1**であるための仕事法につい
て探りあてていきたいと思います。

　数多くの経営書を世に出したピーター・F・ドラッカー
は、イノベーションについて説明するとき、初等教育の普
及と、その質の維持や効率性において、教科書という存在
が大きな役割を果たしたことを挙げています。ドラッカー
は、教科書がイノベーションそのものであったと指摘をし
ています。
　今では当たり前の存在になっているものも、それが発明
されるまでは当たり前どころか無の存在であった。その無
から有を新たに生み出していく。そうしたお客様がまだ気
づいていない要求に対して、新たなイノベーションを積み
重ねていくところにも、Amazonの存在価値があると思っ
ています。

ではそうしたイノベーションを起こす革新的な組織をつくるリーダーになるには、どのような努力が必要なのでしょうか。答えは１つではないでしょう。しかしAmazonがこれまで最も重要にしてきた姿勢、すなわち**LP**の最初にある**Customer Obsession**がその鍵の一つとなることに疑いの余地はないと思うのです。

　Customer Obsessionの追求は、繰り返すようですが、お客様を起点にすることから始まります。このことでは社内の誰にも負けないという気概が、どのリーダーにもみなぎっているうちは、アマゾンジャパンがAmazonらしい商品やサービスを常に提供し続けることができると信じています。

　寝ても覚めてもなどと言うと、日本政府が推進する働き方改革に反するのではないかと心配されるかもしれませんが、人間、何かに夢中になるときほど楽しいことはないはずです。しかもその楽しさが、日本の多くのお客様、そして日本社会の成長や発展のお役に立てるというなら、これほど幸せなことはないと思います。

　Amazonの事業は、商社や不動産業、重機メーカーなどのように巨大な投資を１つの分野で動かすようなものとは違います。日々の生活に絶えず寄り添い、生活者のちょっとした願望やニーズにイノベーションの種が埋まっていることを信じて、それを掘り当てていくなかで、新たなアイ

ディアを生み出し、事業に反映させていくという、そのようなきめ細かい日常の積み重ねによって成立するものです。

　かつて東京ディズニーランドで、私が観たショーの一つに1940年代の米国の西部劇のシーンがありました。その舞台づくりの素晴らしさは心惹かれるものがありました。施された舞台装飾をよく見てみると、お客様の目があまり届かないような隅々に置かれているものまでもが、こだわりをもって作られていることがよくわかりました。

　1940年代をそのまま再現することに強いこだわりをもって仕事が完結されている。そうしたいわば見えない努力が、来場された観客の心に自然と伝わり、感動が生まれるのだと思うのです。

　Amazonも **Customer Obsession** を追求していくことで、細部にまでこだわる仕事に徹底して取り組み、ディズニーと同じように、お客様に笑顔と感動をお届けしたいという想いを強くしました。

　Amazonとアマゾニアンが **Day 1** であり続けるために、それは欠かせない姿勢だと心底思うからです。

　逆に、組織内に官僚的な言動が忍び寄ることに対しては、細心の注意を払うようにしています。社員が8,000名を超えるような規模になってくると、どうしてもそうなりかねない側面が出てきます。官僚的とも思えるような姿が

あれば早期に発見し、排除していかなければいけないと思っています。

　組織で働く誰もが、効率的な運営を可能にする環境をつくりたいと考え、仕事のプロセスを見える化し、一貫性をもたせるにようにしたいものです。ところがその行動が、個々の革新的な発想や活動を阻害してしまう場合があります。組織の拡大とともに、「こうやらないといけない」「これまでこうやってきた」といったことがたくさん生じてきて、複雑化してくるからです。このような兆候を早い段階で発見し、簡素化していくこともリーダーの仕事です。

　そうした意味からも、昨日正しかったことも、今日は正しいとはかぎらないと考える **Day 1** の精神が、組織を動かすリーダーには最も大切な姿勢であり行動指針であるといっても決して言い過ぎではないと思うのです。

お客様を起点にする

アマゾンジャパンにとってのお客様とは

　アマゾンジャパンのビジネスが広がることで、さまざまな事業者様と接する機会が増えてきました。設立当初の書籍をご購入いただくお客様と、出版社様や著者の方々だけではなくなっています。ですから、「アマゾンジャパンにとってのお客様とは？」と問われたら、私は即座に「お客様とは無限である」と答えるようになりました。

　実際に、お客様として定義すべき方々の幅は広がり続けています。生活者としてのお客様だけでなく、販売事業者様や製造業者様、作家やクリエイター、デザイナー、ひいては物流やクラウドコンピューティングの分野におけるパートナー様など、Amazonが提供する仕組みを使って事業を展開するすべての方々が、私たちのお客様なのです。

　換言すれば、Amazonに触れる機会のある方々は、それがどのような形であっても、私たちのお客様なのです。この無限に存在するお客様に対して最良の体験を提供するところに、私たちAmazonの企業目的があるといえます。

　これからも、この考え方は変わらないでしょうし、忘れるなどということがあってはなりません。もしAmazon

にそのような変化がはじまったとしたら、Day 2への扉がすぐさま目の前にあらわれるにちがいありません。

そもそも「地球上で最もお客様を大事にする企業になること」というAmazonのミッションは、いつ達成できるのかわからない永遠の使命なのですから、時間的、領域的にも無限なものだといえます。

人間の歴史に視野を広げてみると、供給者と消費者の間に生じる多様な関係性は絶えず変化をしてきたといえるでしょう。私の来日以前の30年ぐらい前のことを思い出すと、企業とお客様の関係性に変化を起こす象徴的な事象として、「逆さまのピラミッド」という表現が支持を得ていたように思います。

その概念は図式化され、お客様を頂点にして、現場が上流に位置し、経営側が一番下流に配置されていました。まだインターネットというツールを人類が広く享受していない時代に発想されたその関係性も、近年においては変化を遂げているように思われます。

今、私たちの思考のなかにはもはや、そのような上下関係さえないように思われるのです。ごく自然に、当たり前のこととして、お客様を起点に、すべてのビジネスのプロセスがスタートし、社員一人一人からイノベーションが生み出され、よりよいソリューションがお客様に対して提供される。そうしたごく当たり前のことをきちんとできる企

業が、社会から存在価値を認められる時代が到来している
のではないでしょうか。

お客様を起点として発想し、思考する

　グローバルに展開する企業には、ワンチームとして共有
すべき言語や考え方というものが、やはり必要です。
Amazonにおいては、お客様を起点として考えることが、
その最たるものだといえます。それゆえ、お客様をよく把
握・分析しようと努力し続けることがAmazonでは必要
不可欠です。

　いうまでもなく、日本と米国のお客様は概念的にも実際
にも同じではなく、米国にいるベゾスと日本にいる私のイ
メージするお客様がまったく同じであるはずがありませ
ん。細分化してフォーカスしていくならば、さらに相違点
が表面化してくることでしょう。

　ファシリティ部門の責任者が、ある日、興味深い話をし
てくれました。趣味で仏像の彫刻をしているそうで、木を
彫るとき、その木のなかに仏様はもともとおられてそれを
彫りあてるのだ、と教えられたそうです。Amazonの会議
も、その仏像彫刻に近い面があるように思います。お客様
が求めるものは間違いなく存在し、それを考案する人とそ
の考案に対して的確な意見を述べる人……。会議に関わる
一人一人のアマゾニアンが、自由闊達で建設的な議論をし

ていくことで、正解を彫りあてることができ、お客様が真に求めるものを生み出す意思決定ができるはずだからです。

また、アマゾンジャパンでは、リーダーたちが自らの行動においてそうした姿勢を自然に身につけてもらうためのプログラムを自社の研修制度に組み込んでいます。

例えばカスタマーサービスの研修はマネジメントチーム全員が受けるようにしています。私も札幌に行き、研修を受けました。そこで働く方々と同じように、実際にお客様からのお問い合わせを受け、Eメールで返事も出します。

Amazonのカスタマーサービスでは、お問い合わせをいただいたお客様からの「助かりました」「ありがとうございました」といった感謝の言葉のことを、warm fuzzy（ウォーム・ファジー）と呼んでいます。研修に参加した当日、私は幸いにも、warm fuzzyをお客様からもらうことができました。2011年頃だったと思います。新鮮な喜びを感じました。オフラインの対面型の小売業とは異なり、感謝の言葉を直接もらえることはオンラインでの販売では特別な経験だからです。

また、採用人事においても、お客様を起点に考える人材を採用し、育てていくための制度をつくっています。Bar raiser（バーレイザー）という社内の資格を持つ社員が必ず面接に参加するのです。カスタマーエクスペリエンスの

基準を常に高く上げていく役割を果たす人はカスタマーエクスペリエンス・バーレイザーといいます。バーレイザーは職務ではなく、通常の仕事に就きながら、経験に根差した資格として取得します。アマゾンジャパンではバーレイザー委員会という組織を設けて、私もその委員の一人として採用面接にあたっています。

　他にも、Amazonではさまざまなアワードを設けて全社ミーティングで表彰したりしています。社員なら誰もが対象で、前述の特許を得たことで、私もパズルピース・アワードを受賞しています。さらに、やる気さえあれば、社員は誰でもサイト上で出品ができ、アマゾンジャパンの大切なお客様である販売事業者の皆様が、どのような体験をされているのかを実際に自分で体験してみることも可能です。私も、自らアカウントを作って、中古品を出品して実際に販売に挑戦しています。以前には、**ビデオレビュー**という仕組みを使って、**カスタマーレビュー**をビデオでアップロードすることも試してみました。お客様の視点で、お客様の立場になって体験してみることで、足りない点に気づくこともあるからです。

「地球上で最もお客様を大切にする企業」の ある日の出来事

　日常の景色を見慣れてしまい、自らの間違いに気づかなくなってしまう。このような危険信号に対処できている間

は**Day 1**を維持できていると思います。最近のアマゾンジャパンにもそんなことを考えさせられる出来事がありました。

「地球上で最もお客様を大切にする企業になる」というAmazonのミッションを、アマゾンジャパンでは目黒オフィスの受付があるフロアに英語表記のパネルで掲げています。取引先の方々など、当社をご訪問いただく方はよく目にされていると思います。

　ある日、私たちはこの見慣れたパネルに大きな欠落があることに気づきました。このミッションの英語表記はTo be Earth's Most Customer-centric Companyなのですが、To beの部分のパネルが欠けていたのです。つまり、企業に「なる」という大切な部分が欠けていたのです。間違いというわけではありませんが、見る人次第では、まるですべてを達成したようであり、毎日がはじまりの日という謙虚な姿勢に相反することになってしまいます。アマゾニアンにとって最も大切なミッションに対する理解の重要性を改めて感じさせられた出来事でした。

　そして、このような些細なところにまで目を配ることが、事業が成長するほどに、より必要になってくると私は思います。言葉に敏感でなければ、それまで抱いてくれていた意味が、一瞬にして損なわれてしまう可能性がある。そんなことに気づかされ、理念や価値観を伝え、共有

していくための言葉を重視することに、さらに意を注ぐようになりました。

Amazonの社内会議はお客様のためにある

　Amazon内の会議について、これまで色々と触れてきました。Amazonでは新しいサービスや事業モデルなどを自由に提案することができる環境にありますが、最初からすべて優れた案が出てくるわけではありません。
「こうしたほうがミッションの実現につながるのでは？」「このお客様のニーズに対しては、こういう解決方法も考えられるのでは？」といった議論が活発に交わされ、ともに考え合うなかで、完成度が高められていきます。
　品揃え、価格、利便性を重要としてAmazonがお客様に提供するカスタマーエクスペリエンスに関しても、さまざまな角度から議論が重ねられます。差別化はできているか。他の国で似たような問題に対してもうすでに解決方法がないか。ローコストか。効果的なものか。本当にベストか――。お客様を中心にそのように考え、議論し、回答を見つけ出していくこのプロセス自体が、Amazonにおける仕事の重要な部分になります。

　Amazonのミッションを強く意識せざるを得ないこれら議論でも **LP** が使われています。例えば **Dive Deep** の概念にあてはめて、「この部分はもっと調査が必要では？」「お

客様のニーズを表層的に捉えていないか？」といった確認をしていくのです。

　また、重要な企画に承認を出すことについて、Amazon内では一定のルールを設けています。それは、working-backwards（ワーキング・バックワーズ）というもので、まず立案者はPR（プレスリリース）とFAQ（想定問答）を書きます。そうして、自分の企画がほんとうにお客様を起点にしているのかを確認します。

　Amazonでは、パワーポイントで企画を発表しないルールにしていますが、これもお客様を起点に考えるための方法を模索するなかで、生まれた考え方です。ともすればプレゼンテーション自体が上手だったり、スライド上には表現されない重要で詳細な情報を口頭で補足することで、企画が通ることがあると思います。しかしAmazonでは、PR/FAQ（ピー・アール／エフ・エー・キュー）の作成に多くの時間をかけ、考え抜いた詳細な文章を準備することで、会議でもみんなで細部にわたり議論し、深く考える方向に進めることができるのです。

　会議の参加者が思い描くお客様の顔は、最初は往々にして一致していないものですが、議論によって、共通のものに近づいていく。そのことをイメージするだけでワクワクしてきます。そうして生まれてくる企画は、お客様の支持を得る可能性も高まっているにちがいないからです。

ミッションとプリンシプルの最後の砦として

　Amazonのカルチャーについて、さらに話を続けましょう。シアトルにある米国本社には、多くのエンジニアやシステム開発者がいます。アマゾンジャパンにも開発チームがあります。新しいサービスの開発をする際には、米国本社とアマゾンジャパンの開発者の間で、頻繁かつ複雑な連携をとることになります。

　Amazonの開発者たちの仕事を簡潔にいえば、現状を詳細にわたって理解したうえで、システム設計をし、デザインして、**Customer Obsession**を追求したソリューションを提供することです。しかしそのソリューションは無限にあるため、アマゾニアンは常に「もっとよい方法があるのでは？」というこだわりを発揮し続けることになります。

　それは、コンピュータのプログラムを作る人も同じです。Amazonとして認めることができないものをつくるわけにはいかない。だから、新しいカテゴリーの商品を販売する時は、私やVPが、実際にお客様がウェブサイト上でどう進んでいくかという体験を、インターフェイスを見ながら試すようにしています。そのようにしてカスタマーエクスペリエンスが、Amazonが提供するべき高いレベルに達しているかどうかを確認するのです。

ちょっとしたアイディアが、よりよい社会を創造することになる。そうしたアイディアを、より多くのお客様に持続的にお届けするサービスとして成立させるために、どうメカニズムを創り上げていくか。そのメカニズムが、ほんとうにAmazonがなすべきものになっているかどうかを見定める判断基準、指針となるのもLPです。

　そしてこのLPや企業理念を最も理解しているのは、なにも経営陣だけではありません。議論によっては、部下から教えられるケースもあります。そうした機会のなかで、お互いがLPの真の意味をもっと深く理解できるようになります。

　私たちの会議はそうした目的も兼ね備えているのです。

　世の中では日々、さまざまなことが起きています。昨日の判断を、今日も繰り返すべきかどうか——。それはいつも正しいとはいえず、場合によっては、間違った判断になる。だからこそ、常に議論をし、議論ができるカルチャーをつくっていく。そして議論の質を高めていく——。

　経営陣には、組織をそのような高みに導いていく責務があると思うのです。そして社長である私自身は、アマゾンジャパンにおけるその判断の最後の砦として、常にLPに立ち戻り、社員を導くことが任務だと思っています。

リスクを決して恐れない

インサイトを働かせ、事実をつかみとる

　Amazonの仕事において、私はインサイトの必要性を常に感じています。辞書的な日本語訳は洞察、洞察力です。

　例えば、何かの仕事で失敗をしたとき、何が起こり、誰が関わったのかという結果よりも、原因がどこにあるかを掘り下げて考える。目に見えるような、わかりやすい原因はもちろん即座に把握したうえで、その奥にあるものにインサイトを働かせる。それは、Amazonの**LP**にある**Dive Deep**にもつながるものです。

　でも、ただ潜るだけでは十分ではありません。その深奥なる場所で、働かせたインサイトによって何かに気づき、水面に戻ってくることが重要なのです。創業者のベゾスも、2018年の株主への書簡で、分析力だけでなく、直感や感情が、これからのAmazonの挑戦に重要であるという点を強調しました。測定しにくい人間ならではの能力の必要性は、これからのビジネスにおいて、ますます高まっていくように思えてなりません。

　Amazonの会議では、はじめに資料が配布され、参加者

は最初の20〜30分ほどですべての内容に目を通します。全員が読み終えたら、すぐに議論に入ります。読み進めるなかで、理解できない場合には、その場で説明を求めます。ページごとに質問や議論が行われる貴重な機会です。質の高い議論に導かれない内容の場合に、会議がそこで終了し、発案者が持ち帰ることもごく稀にあります。

　データや説明が足りない資料もあります。そのときには直ぐに疑問を投げかけます。さらには、「このロジックの背景は？」「なぜこのLPを使って説明しているのですか？」というような質問をどんどん投げかけていきます。表層的な議論に留まらず、深く掘り下げ、インサイトを引き出す議論が続きます。

　インサイトはまた、さまざまなメカニズムの構築にあたっても重要なものです。優れたリーダーたちの善意に頼って仕事を進めていくのではなく、誰もが、きちんとやればうまくいくような仕組みをつくり、その機能を働かせる。優れたメカニズムとは、優れたインサイトから組み立てられていくものなのです。

　メカニズムの構築は、完成したらそこで終わりではなく、常に続く果てしない道程です。Amazonのお客様は無限に存在し、それぞれのお客様にはそれぞれの無限の世界があります。そのお客様を一番大切にする会社になることを目指し続けるAmazonにとって、なすべきことは無限

です。正念場とか修羅場といった日本語がありますが、Amazonではもしかしたら毎日が、よい意味での正念場なのかもしれません。

　お客様が100％満足する世界は存在しないのかもしれません。だからこそ、私たちはミッションを追求することによって、常に組織と自分自身を鍛え、強くして、改善していくのです。それ以外に、未来に向かう道はないと思っています。

　常に高みを目指し、バーを上げていくには、走り高跳びのアスリートが日々厳しい練習を積み重ねているように、とてつもない努力を必要とします。社員一人一人がミッションを追求していくほどに、それぞれの正念場が生まれ、危機感をもって仕事にあたることになります。社長としては意図的に社員を正念場に導くこともありますが、正念場は本来、自らがつくっていくものなのです。

Amazonの基本戦略は
Day 1であり続けること

　より多くのお客様にご支持をいただくことで、会社は成長し拡大していきます。私たちアマゾニアンは、組織の規模に相応のリスクを取っていく責任があるというAmazonの基本的な考え方に基づいた行動が求められます。言い方を変えれば、お客様を大切にし続けることは、常にそれなりのリスクを取り続けていくことだといえます。

例えば財務戦略において、Amazonはフリーキャッシュフローを大前提にしており、利益はお客様の未来への投資に還元していきます。利益を自社で保有するのでも、株主至上主義でもなく、あくまでお客様へのサービスの向上に投資していくのです。そしてこの基本戦略が、Amazonの経営を動かす最も大きなメカニズムの一つであり、全体の基軸をなすものだといえます。長期的思考でフリーキャッシュフローを着実に運用していくことが、Amazonらしさを維持できているかどうかを見定める指標にもなるのです。

　実際のところ、会社がリスクを取っていく姿勢を常に社員に見える化していくことは、モチベーションの面でも、チーム運営の面でも、とても重要ではないでしょうか。社員には、毎日が**Day 1**であってほしいと切望し、積極的に挑戦することを求めながら、一方で会社側がそうしたリスクテイクに挑む行動を支え、評価する姿勢を大切にしないようでは、社員に対する説得力など生まれてこないでしょう。

　各事業部門での重要な会議には、常にリスクを取ることを視野に入れつつ、新規事業やサービスなどの発案者であるリーダーが積極的に議論を進め、立ち上げに責任をもつようにする。ボトムアップでイノベーションを創出し続けるためには、より現場に近い社員一人一人がリーダーシップを発揮し、**Ownership**を持ち続ける。試行錯誤や失敗

アマゾンジャパンの社内に掲示された DAY ONE の文字

を繰り返しながらリスクを取りにいくことを、会社が支援していく。

　このような Amazon のメカニズムは、**Day 1** であり続けるという私たちの願いと完全に符合するものなのです。

Two way door と One way door を使いこなす

　Amazon で、現場を率い、動かしていくリーダーたちにとって、有効なツールの一つが Two way door（ツーウェイ・ドア）と One way door（ワンウェイ・ドア）という概念です。普段の会議でも、判断の際に使っています。この概念を日本語で表現するのは、どうも難しそうです。往復切符と片道切符と言い換えるとわかりやすいかもしれま

せん。

　カスタマーエクスペリエンスをより良くしていくために、創造性豊かな新しい発想で考えると、当然、不確定要素がたくさん出てきます。すべての質問に完ぺきな回答がないと前に進めない、社内会議で議論ばかりが必要以上に繰り返される。そんなDay 2の状況に陥らないためにTwo way doorを使います。往復切符を手にしたと思えば、一度出発しても後戻りができます。さまざまなプロジェクトを進めるなかで発生する課題に対して、抜本的な解決策を見出しつつ、振り出しに戻り、その解決策をもとに、次はもっとスピードをもって前に進むことができます。

　引き返すことのできない片道切符を手に出発するという限られた状況では、むしろリスクを取ることも困難になり、ゲームチェンジャーとなるようなイノベーションを生むことが難しくなってしまいます。そうした意味から、Two way doorの必要性は明らかでしょう。

　経営面においても、Amazonの特徴として、まず新しい領域に参入して、改革や改善を継続しながらより多くのお客様のご支援を得ていくという姿勢があります。まずやってみることから始めるのです。7割はうまくいく確信があるが、あとの3割は不確定要素が残されている。それならば思い切って動くという決断をしています。

　実際のところ、アマゾンジャパンでは、リスクを取りつつ、実践するというTwo way doorを基本に、成長を遂げてきました。ちなみに、もう少し分析が必要で、Amazonの他国でのケースを調べてみようというような議論が続いている状況では、まだTwo way doorに踏み切る時機とはいえません。それは、明らかなリスクが見えている、往復切符を手にするには自信がない、会社どころか、お客様にダメージを与えてしまうかもしれないといった状況がはっきりと見えている段階だからです。

「このままで踏み切るとOne way doorになるので、Two way doorにするまで議論を重ねよう」というやりとりが、アマゾンジャパンではよくあります。Two way doorを追求していくことで、One way doorという引き返すことのできない片道切符を手にする必要がなくなるのです。

　一方、どうしてもOne way doorになることも実際にはあります。そのような場合には、その分野に経験の豊富なリーダーと情報共有し、業務を引き継いでもらい、指示を仰ぐといったことが常套手段になります。

　正しい判断ができる人たちとともに考え、善処していくことが優先されるのです。そこでも、リーダーたちの**Are Right, A Lot**という**LP**にある能力が活かされることになります。

　Two way doorは、一般的によく使われるトライ・アン

ド・エラーとは異なります。トライ・アンド・エラーの場合は、失敗を繰り返しながら、ともかく前に進めてみよう、という側面が含まれます。Two way door は、それぞれの課題を抜本的に見直していく、そのためには最初に立ち戻ってやり直すという概念であり、立ち戻った時に、検証し議論した結果、プロジェクトそのものが中断や中止となる場合もあります。

　スピードの追求を最大限にし、リスクは最小限にして、前に進んでいく。必要であれば最初に立ち戻り、そしてまた前に進む。万が一、その計画が中止されたとしても、往復切符の旅から学んだ深い洞察とデータは、次のイノベーションに活かされていくことになります。

始発駅からまたやり直して前に進んでいく

　ただし、新規事業によっては、One way door を前提に導入する場合もあります。Amazon プライムのようなサービスでは、その立ち上げにおける判断は One way door だったといえます。

　Amazon プライムのように、お客様に会費をお支払いいただくことへの対価として、持続的によりよいサービスの提供を目指していく責任が Amazon にはあり、それは義務ともいえます。ですから往復切符を手にもって、出発点に帰ることは許されません。それが、One way door です。

　当初からかなりOne way doorに近いものとして誕生したのです。今も、サービスを向上させ、育てていくために様々メカニズムを活用しています。

　Two way doorも、結果的にさまざまなリスクを想定し、準備していくものですが、One way doorではいっそう議論を重ね、周到な準備を重ねるプロセスが重要になります。立ち上げ後も、新しいサービスを付加していくたびに、**プライム会員**の皆さんの期待値に達するものになるかどうかを精査していく責任が、SVP（シニアバイスプレジデント）やVP（バイスプレジデント）、そして社長である私にはあります。

　例えば**プライム会員**の特典に含まれる**Prime Wardrobe**（プライム・ワードローブ）は、One way doorとしてサービスが開始されたものだといえます。ご自宅で快適に試着してもらい、気に入った商品のみ購入して、他の商品は返送してもらう。このサービスを支える仕組みづくりにも並々ならぬ準備を必要としました。

　同様に**プライム会員**の特典である**Prime Video**（プライムビデオ）の事業は、ここ数年、日本オリジナルの作品の制作に力を入れており、ご提供するタイトル数も多くなっています。これらの企画やサービスも、細かく分けると、One way doorがあれば、そうではない場合もあります。

企画が上がってきたときにOne way doorかTwo way doorかについてみんなで熟慮します。米国本社の担当VPらと、このような重要な議論を迅速に進めることができるのは、**LP**と同じく、One way doorとTwo way doorという共通の概念と言語があるからです。様々な意見が飛び交うなかでも、お互いの思考がどこにあるかを確かめることができるのです。

　多くの企画案はデータの裏づけがあり、理論的で、**LP**にかなうものですから、同意することがほとんどです。データの見方や、**LP**の解釈に照らし合わせることなどによって微調整を必要とする場合もありますが、準備された情報は多くの議論を必要としないほどの精度です。同じデータを共有し、解釈し、ロジックを維持しつつ、**LP**を共有することで、たいていの議論を建設的に進めることができます。議論になるのは、どういうメトリクスが必要で、どの**LP**を優先すべきかといった内容になります。

　その優先順位によっては、もちろん同意できない場合もあります。例えば、最も重要なのはスピードなのか、あくまで質にこだわるべきなのか、要は**Bias for Action**なのか、**Dive Deep**なのかといった議論です。このように、相容れない意見があったとしても、精度の高い情報をもとに、共通言語で世界中の仲間と議論することは、組織としてとても健全なことだと思います。

　また、Amazonでは、意見は相反するが、ここまで議論を重ねたのだから、すべてに同意できないけれど、やらないよりやることの方がメリットあると判断した場合、disagree and commitとしてプロジェクトを進める場合もあります。

　結果としてうまくいかなければ、方法が問題なのか、お客様のニーズに対する理解不足なのかといった原因を調べ、うまくいかない理由が本質的部分だとわかったなら、撤退する可能性もあります。それでもアマゾンジャパンの各リーダーはとても意志が強く、小さなリスクを取りながら、始発駅からまたやり直して前に進んでいきます。

　一方、撤退すべきかどうかを、すぐに判断できる場合もあります。それは、お客様のニーズがまったく変わってしまった、もしくは私たちのインサイト自体が間違っていたという場合です。そういう根本的な問題がある場合には、やり続けても仕方がないわけです。過去に発表したFire Phoneなどは、その一例です。しかし、Amazonの失敗の代表作のようにいわれているFire Phoneも、Alexa Echoのような新たなイノベーションへとつなげていくための試金石にすることができています。

日本発のイノベーションをお手伝い

　さまざまなツールが世の中に登場すると、その浮き沈みを見極める力も必要になります。

例えば、日本はガラケーがスマートフォンに移行してい
くことを実体験しています。このようなモバイルデバイス
の変化のなかで、アマゾンジャパンでは、今後どのように
ショッピングスタイルが変化していくのか、投資や開発の
重点をどうシフトさせていくのかといったことを、さまざ
まな指標を考慮しつつ、判断しています。

　Amazon全体ではこれまでやらないとしてきた領域に
も、日本であえて例外的に取り組むケースも出てきていま
す。例えば、過去に、**お取り寄せ**プロジェクトというもの
を始めました。各地の名産品などを製造元に問い合わせ、
在庫があれば販売する。販売はするが欠品する場合もある
というサービスです。

　Amazonでは、そうした無在庫販売を基本的に避け、キ
ャンセル率を改善することを重視しており、**お取り寄せ**の
サービスは導入しない方針でした。しかし、日本の販売事
業者様の声を聴いていると、課題の一つとして、Amazon
が無在庫販売をしていない点が浮上してきました。その声
を起点として、販売事業者様向けサービスを充実させてい
くことになったのです。

　有在庫販売を基本とするAmazonのビジネスにおいて、
その方針を逸脱するサービスをあえてやろうということに
なったのは、やはりお客様を起点とする発想、**Customer
Obsession**の追求によるものです。Amazonが事業を展
開している各国でも、**お取り寄せ**は先例がないものでした

が、理念が優先される代表的な事例になったと思っています。

新しいサービスを導入後、Amazonでは週次で進捗を確認します。そのなかで、さらに新しいサービスの発想につながる様々な案件が出てくると、常に起点（すなわちお客様）に立ち戻り、アイディアを生み出すようにします。

多くの企業で行われている、競合分析などを基に新規事業へ乗り出すといった決定は、もちろん合理的な経営手法だと思います。しかしアマゾンジャパンにおいては、競合分析の結果が、お客様のお役に立つとは考えないのです。起点はあくまでお客様なのです。

例えば、**お取り寄せ**の場合、価値ある商品を作り手から取り寄せ、購入することが、日本のお客様に浸透しており、無在庫が必ずしもマイナスにはならない。ですから、他国のAmazonで先例がないにもかかわらず、取り組むことにしたのです。**LP**でいえば**Customer Obsession**は当然のことながら、**Bias for Action**に基づく行動だといえます。

誰かが落とした財布やクレジットカードを交番に届けたり、カードを発行している会社に連絡してあげる。そうして本人の手元に戻ってくる。そんなことがごく当たり前にある日本の国民性は、企業のお客様に対する姿勢と相通じ

る面があるように思います。

　販売事業者様と製造事業者様との間に、ビジネスの枠に
おさまらない、強固な関係がつくられていて、在庫が今は
なくても、必ず約束した日までに商品を提供してくれる。
そんな信頼関係が自然に培われていることが、お客様の視
点に立ったサービスをアマゾンジャパンが継続していける
大きな要因ではないかとも思います。

　こうした国民性における特徴は、今後も、日本発サービ
スを発案し、グローバルに展開する可能性を広げていくイ
ノベーションの源泉になっていくことでしょう。

実店舗をもってOTC医薬品販売に 初めて取り組む

　日本のお客様に長期的にコミットしていくなかで事業を
営んでいくには、行政との意思疎通は欠かせないものにな
ります。ですから、日本の法令順守のみならず、様々な慣
習を含め、柔軟に対応していくことの重要性を、常に意識
しながら、経営に携わってきました。

　特に、新規事業などについては、説明責任を十分に果た
すことが求められます。アマゾンジャパンの草創期には、
このことが私の重要な役割になっていました。日本語もま
だ勉強段階の頃でしたから、大変な任務でしたが、人材も
十分ではない当時は、一人何役もこなす必要があったので
す。

　2003年頃から、新規事業の立ち上げに関わる専門的な知識と経験をもつ人材の採用をはじめましたが、その後、日本で薬の販売に関する動きが生じました。2013年12月の薬事法の改正により、2014年6月から、第三類医薬品以外の一般用医薬品（いわゆるOTC医薬品）についてもオンラインでの販売が原則として解禁されることになったのです。

　当時、アマゾンジャパンはOTC医薬品の販売はしていませんでしたが、規制緩和により、一定の条件のもと、販売ができるようになりました。OTC医薬品の販売に関して、さまざまな規制や細かい条件があることについて理解していくなかで、販売のために、実店舗を持っていることが必要条件であることがわかりました。厚生労働省からすると、通販というチャネルだけでOTC医薬品が届くことに問題があるようで、外部からの目が届くような店舗をもっていないといけないという条件です。
　必要条件を満たすべく開設した店舗においては、しっかりとした管理体制をつくり、必要な温度調整や衛生管理がなされ、薬剤師もいます。役所から許可を受けて、住所申請をして、いつ行政機関の人が訪問しても内部を開示できるようにきめ細かく環境を整えていきました。
　新規事業の申請準備を進めるなかで、オンラインでの薬の販売に反対する人たちの話に耳を傾ける機会がありまし

た。薬害被害の歴史、そして実際に被害に合われた方々のことを考慮すると、理屈だけでは通らない側面があることがよく理解できました。

オンラインで購入されるAmazonのお客様に対しては、実店舗があるかどうかはあまり関係なく、適切に管理されている薬がお客様のところに早く届くことが大事だと考えますが、同時に、様々なことを考慮して進めなければならないことも理解でき、忍耐と熟慮の繰り返しでした。

日本の法令に従いながら、Amazon内の規制にも挑戦し、お客様に寄り添い続けることを追求したこの経験は、私にとってもアマゾンジャパンにとっても素晴らしい学びとなりました。現地での法令順守やお客様が期待する価値創造のためには、自らが敷いたルールを変えることにも積極的になる。その考え方は、Amazonでよく使われるよりよいものが見つかるまでというunless you know better ones という言葉に象徴されるものです。

自らが策定したルールであっても、よりいいものがあれば、変えていこうという柔軟な姿勢も私たちAmazonは大切にしているのです。

グローバルにおける
商品名やサービス名に対する考え方

Amazonプライムという有料会員サービスは、前述の通り、Amazonにとって重要なサービスであり、長期的視

野で育てているグローバル事業であることはいうまでもありません。

　このプライムという名称がつくプログラムは他にもあります。2012年に立ち上げたPrime Student（プライムスチューデント）です。スタート時の名称はAmazon Studentでした。

　日本での名称をどう考えるかという点について、私たちはいつも十分な議論をしています。この場合では、日本の学生が簡単に理解でき、イメージできるようにしないといけない。また長い名称はよくない。そこで、当時上がってきた日本語の名称を確認しましたが、いずれも候補にはなりませんでした。学割プライム、即時配送学生向けプライムなど10候補ほどあったと記憶しています。結局、そのままのAmazon Studentで立ち上げることになりました。

　現在の名称であるPrime Studentが、支持をいただいているのは、Amazonのプライム（Prime）という名称が、日本で浸透してきたことが大きいように思えます。

　そしてこのプライムという名称こそ、非常に頭を悩ませた存在でした。プライムは、米国やフランスにおいても、当時はさほど耳慣れた言葉ではなかったのです。

　フランスのAmazonでは当初、プライムは使用せずプレミアムと呼んでいました。せっかくのサービスでも、その意が通じなければ普及は難しくなるものです。このよう

な議論や判断はAmazonでは常に行われています。

　アマゾンジャパンでは2010年に**プライム**を立ち上げました。日本でも、さまざまな案が出てきました。しかし**プライム**という名称に決めてからは、継続的に**プライム**に対する投資をしていきました。日本のお客様に一目でご理解いただけるよう、**お急ぎ便**や**定期おトク便**などの名称で新しいサービスを継続して生み出しています。

　一方、**プライム**はグローバルで展開しているプログラムでもあるため、各国のプライムチームとの連携も深く、毎年、お客様に提供する価値をどのように進化させていくか、ライフスタイルや価値観がどのように変化しているか、お客様のみならず地域社会に貢献できることは何か、といった議論を続けています。

　でも、まだまだです。私たちアマゾニアンにとっては、今日もまた **Day 1** なのですから。

基本に戻ることを学んだタイムセール

　アマゾンジャパンでは期間限定のタイムセールにも積極的に取り組んでいます。Amazonをよくご利用いただくお客様には、お馴染みのものになっているかもしれません。そうであれば、ありがたいことです。

　小売業界全体でよく実施される特売と似ているものですが、オンラインのAmazonで導入する際には成功するか

どうかの予測がつきませんでした。アマゾンジャパン内でも多くの人が懐疑的でした。なぜならAmazonでは、期間を限ることなく、常にお求めやすい価格で提供するべきだという考え方が浸透していたからです。それでもなんとか社内の理解と協力を得て、2011年に初めてタイムセールを導入しました。

　ところが、その最初の導入において、お客様から厳しいフィードバックをいただくことになってしまいました。魅力的な商品がない、安くない、大した数量が準備されていない、といったものが主体でした。当時、タイムセールの専用ページを設けたのですが、その下部にあった今はもうない掲示板へ投稿されたものでした。

　なぜそうした結果になってしまったのか。起点に戻らなければいけません。お客様からのコメントには、ごく当然の言葉が並んでいました。担当のチームや関係者たちは奮起しました。Two way doorの往復切符で一旦出発点に立ち戻ったものの、諦めるということはまったく考えませんでした。そして **Customer Obsession** の追求がはじまりました。

　最も大切な学びは、新しい発想で新規にプログラムを導入する時にこそ、これまでに培ってきた基盤を大事にし、基本に立ち返るということでした。

　数量、品揃え、時間帯など、どんな要件がお客様にとっ

て一番大事なのか。日本では、米国とは異なるタイムセール向け商品や、お客様の生活様式を考慮すべき点など、**Dive Deep** していかなければならないにもかかわらず、アイディア面等で深掘りしていく努力が足りなかったのではないか……。そういったことを振り返り、立ち戻って、結果のデータを再検証する日々が続きました。

翌2012年、アマゾンジャパンは**サイバーマンデー**というキャンペーンを日本に導入することになりました。米国で実施していた**サイバーマンデー**は、ディライト・カスタマーズという、お客様に喜んでいただこうという考え方に基づくものです。その思いを実現させたいというマーケティング・チームの強い想いのもとに議論が始まりました。

あるとき、12月のある期間にお客様の注文が盛り上がることに気づきました。日本のボーナスが支給される時期に関連して、Amazon.co.jp に通常より多くアクセスしてくれていたのです。

それならば、この時期に、**サイバーマンデーを実施しよ**う。素晴らしい商品を準備できれば、お客様に喜んでもらえる可能性が高まるはずだ。担当したマーケティング・チームのこの仮説をもとに、作成されたPR/FAQはとても素晴らしい内容でした。私たちは最初のタイムセールで、お客様の声、そしてデータから多くを学びました。お客様の欲しいと思うような商品の品揃えをどれだけ幅広く、どれだけお得な価格で提供できるか。それを今度の**サイバーマ**

ンデーでやろう、というものでした。

　私はその内容を見て、まずはアマゾンジャパン内での多くの部門の理解と協力を得ることができるよう、いっそう積極的にサポートすることにしました。常にお求めやすい価格で提供しているAmazonであっても、タイムセールは効果があり必要なものだと、関係する社内の各チームに知らしめることに力を注いだのです。そうして、各カテゴリーの責任者たちに協力してもらい、商材を集めていきました。おかげで、第1回目の**サイバーマンデー**は想像を超えるお客様の反応をいただくことができたのです。

　その後、日本で2015年から開始した**プライムデー**も、**サイバーマンデー**の考え方と基本的に同じで、お客様が求めている商品を幅広く揃え、ご利用いただく際の利便性を高め、早くお届けするものです。**プライムデー**をお客様が欲しいものを買えるイベントにして、喜んでいただく。Amazonでなければ、できないことをしたい。では、お客様の欲しいものを知るために、Amazonがこれまで蓄積してきた多様な経験をいかに活かすか。お取引先企業の方々やステークホルダーのご理解なくしてその実現はありえませんが、それは、担当のマーケティング・チームと商品を調達する各事業部がしっかりと力を合わせることで可能になるのです。

　ありがたいことに、その2015年の**プライムデー**も、お

客様からの好評を得ることができました。もちろん、お客様からは様々なご意見も頂戴しました。たくさんの声のなかで、例えば、せっかくよい商品、欲しい商品が出ているのに、売り切れてしまい、買えなかったという声がありました。そうした声に耳を傾けると、オンラインでのタイムセールは、多様な商品を扱いつつも、目玉商品を1つか2つ提供するという手法が有効であることにも気づきました。

　そこで、多くの売れ筋商品のなかでも、お客様の評価が特に高い商品の在庫を増やすことに徹底的に力を入れることにしました。そうして2年目、3年目、4年目とお客様の支持を増やしていくことができたのですが、それは同時に、規模の増加に対応するスケーラビリティの高いシステム設計ができていたからでした。

　ただ、このような持続的成長を生みだすビジネスモデルと、それを動かし続けるメカニズムを構築していくには、やはり事業部門を超えた多くの関係者たちの理解と協力が必要なのです。

　ちなみにこの**プライムデー**は、近年は毎年グローバルに開催しており、Amazon.co.jpでは開始時間を何時にするべきかというテーマで米国本社と議論になったことがあります。アマゾンジャパンはAmazonの日本法人ですから、当然、本社との調整の機会が頻繁に生じます。

　2017年までは夜中の0時からでしたが、2018年の**プライムデー**は18時からスタートし、6時間増やして36時間の開催期間にしました。日本では、平日の場合、仕事を終えてから買い物をしますが、0時以降はお客様のニーズがさほどないという認識がアマゾンジャパンにあったからです。

　そして2019年は、スタート日が祭日でしたので、正午からスタートして48時間にしました。オンラインでもオフラインでも、小売業においては、こうした判断が、結果に大きな影響を与えることはいうまでもありません。些細に見えるような努力の積み重ねが、お客様へのサービス向上につながる。そのことを確信しているからこそ、日本のお客様に寄り添える日本での細やかな施策を積極的に講じるようにしているのです。

　ところで、こうしたマーケティングにおいても、AIはありとあらゆるところに入り込んでいます。しかしそれは、人の持つ感覚や感性そしてインサイトなど、人間の心的・感情的側面をないがしろにするものではありません。

　アマゾンジャパンはその後も、**ブラックフライデー**などの新しいキャンペーンを導入しています。時間を制限してよいものをよりお買い得な価格でお買い求めいただく。ただそれだけのことじゃないか。そう思われるかもしれません。しかしその当たり前の裏側では、さまざまなアマゾニ

アンたちの奮闘があります。

　お客様の心や感情が反映されたデータに基づく分析、さらにはその商品は速く、しかもたくさん届けることが可能なのか、といったお客様のニーズを先取りする予測が、AmazonのAIのロジックのなかで構築されていく。このメカニズムも、関係するチームの人たちが協力し合うことで機能し、Amazon.co.jpを日々動かし続けることができているのです。

第II部

一人一人が
リーダー

4章 すべての活動の源泉となる Leadership Principles

Leadership Principles の歴史と成り立ち

これまで述べてきたように、Amazonでは、みんながリーダーであるという前提で、さまざまな仕事が実行されます。私はその企業文化を本当に誇らしく思っています。そしてそのリーダーたちは、**Leadership Principles（リーダーシップ・プリンシプル、LP）**とともに仕事をするのが通常の姿です。それぞれのリーダーがそれぞれの愛着と思い入れをもっている**LP**があり、日常的な会話にも使われる身近な存在です。

Amazonには、他の優れた企業で活躍してきた人たちが入社し、アマゾニアンとなって、重責を担うことがよくあります。企業理念である**LP**自体にも、そうした他企業で培われた経験や知恵といったものが活かされ、醸成されてきたともいえるでしょう。今後も、企業人としての叡智を凝縮したものにしていく必要があり、その意味でも**LP**はさらに進化を遂げていくべきものであり、未来永劫固定されるものであってはならないと私は理解しています。

実際に、**LP**はこれまで変化し続けてきました。1994年

に、6つのコアバリューとして、現在でも最も重要である **Customer Obsession** そして **Ownership, Frugality, High Hiring Bar, Innovation, Bias for Action** が策定されました。2001年に **Leadership Principles** として10条が策定され、2010年にはコアバリューを含んで14条に整理された **LP** が誕生しました。

その14条になる際には、アマゾンジャパンでも週1回、**LP** の解釈についてマネジメントチームとの議論を重ねました。どのように正しく伝えていくかという大切な議論です。そうして、その和訳文が今の形に近いものとして完成されました（前掲P28参照）。

LP として体系化される前は、Amazonで重要だと考える能力や価値観といった指針が設けられていました。Mission Statement や Work Hard, Have Fun, Make History などです。

今の **LP** を Amazon の草創期の指針と比較するとずいぶんと変化を遂げてきたことがわかります。

Amazon という企業は、創業者ベゾスの発想や実行力によって始まりましたが、これまでよりよいカスタマーエクスペリエンスを提供するうえで、社員一人一人の **Day 1** の意識に満ちたリーダーシップが発揮されたことはいうまでもありません。長期的思考を前提としたアマゾニアンの絶えざる改善の活動が、Amazon の経営を支えています。

採用にあたっては、自分よりも優秀な人材を新たな仲間として獲得することを意識しています。IT企業経営は、無機質で合理的だと思われがちですが、Amazonは、人間と人間が協力し合い、知恵を出し合いながら、お互いの仕事を高めていく場所なのです。

LPのようなAmazonにおける共通言語にも、論理を超えた人間のパッションやこだわりといったものが息づいていることを強く感じます。その意図するところを、適切に反映した和訳をすることを大切にしています。

例えば、**Are Right, A Lot**を解説する以下の英文の和訳には、特に手こずりました。

Leaders are right a lot. They have strong judgment and good instincts. They seek diverse perspectives and work to disconfirm their beliefs.

すでに述べたように日本語訳は、「リーダーは多くの場合、正しい判断を行います。優れた判断力と、経験に裏打ちされた直感を備えています。リーダーは多様な考え方を追求し、自らの考えを反証することもいといません」としました。

信念に対してディスコンファームするという部分を直訳してしまうと、日本語ではどうもうまく伝わらないのです。議論の末、「自らの考えを反証することもいといません」としました。反省でも反芻でもなく、反証にしました。

　LPが現在の14条になる前にはVocally Self-Criticalという条目がありましたが、その解説文の英文には次の表現がありました。

Leaders do not believe their or their team's body odour smells of perfume.

　日本語にすると難解です。直訳をすると、自分たちの体臭をまるで香水のように感じてしまうという文意になります。因習を因習と気づかない企業文化や風土を否定するものです。こうした表現に無理に注釈をつけてしまうと、余計な意味合いを持たせてしまい、共通言語としての役割を果たすことができなくなってしまいます。そこで、どう日本語で表現するかについて議論が繰り返されることになりました。

　言葉の本質に対する理解を追求し続けるというこのような企業文化をアマゾンジャパンはずっと大切にしてきました。こうした探求心は、言語に留まらず、何事においても必要不可欠だと考えています。

LPとDay 1の関係性について

　ある出版社からの取材で、「あなたは、性善説と性悪説のどちらをとりますか?」と不意に聞かれました。難しい日本語で、しかも難しい問題で困りました（笑）。
　人間は善人にもなるし、悪人にもなると私は考えています。そもそも善の規準というものは、時代や環境によって

変化するものでもあるように思われます。アマゾニアンにはLPという、いわばAmazonにおける善を示す行動指針があるわけですから、それ自体、幸運なことだと思います。

　もう一つ、同じ編集者から、思いもよらぬ質問をされました。「LPとDay 1が大事だというのですから、それには相関性があるはずでしょう。LPにかなう行動をとり続ける人は、いつもDay 1だという法則が成り立つのではないですか?」というのです。これまた難題です。

　LPで示されている行動指針と、日々の行動が合致しているアマゾニアンが、いつもDay 1な人でないと、確かに合理的ではないように思えます。しかし、LPの14条は社員一人一人にとって永遠の目標なのです。その時々において、その人なりの次元で、それぞれの条目にかなう行動がとれていても、すべての条目にかなう行動を常にとれている人は私も含めて存在しないのです。

　ただ興味深いことに、その達成度合という意味では、VPやディレクターの人たちが比較的に高い傾向にあるようです。それは、14条を基盤として行動してきた結果の表れなのかもしれません。

　Amazonでは、採用の際の判断軸にもLPが活用されることは先述した通りですが、これまで、LPに示されている行動と経験をしてきた人たちを採用できていると自負し

ています。その一方で、会社の規模が大きくなるなかで、「大きな会社だから、成功した会社だから、入社したい」といったような安定志向の入社希望者が増えてくることを懸念しています。

　長らく成功してきた優れた組織であっても、環境の変化に伴い、その存在意義が失われてしまう場合もあります。会社の規模や数値的結果は将来を約束するものではないのです。

　Amazonは職歴や役職に関係なく、一人一人がリーダーであることを求めます。**LP**を日々意識し、成長していく先には、より大きな責任を担う仕事が待っていることは確かです。それは会社が与えるものではなく、あくまで一人一人の意識と行動による結果として得られるものだといえます。　Amazonにおける**LP**と**Day 1**の相関性の成立も、一人一人の意識と行動にかかっているのです。

　ですから、**LP**と**Day 1**に相関性があるという見解は理にかなっていると思います。そしてアマゾンジャパンにおいて、この法則が崩れる、もしくは弱まってしまうことを、私は常に危惧しています。

　2018年のAmazonの全社会議で、ベゾスが、「いつかはAmazonも潰れるんだ」という発言をして話題になったことがありました。彼のこの言葉が**Day 1**につながっていることを再認識したとき、私の心と身体に緊張感が走

りました。アマゾンジャパン内でも、そうした危機意識や企業家精神に欠ける空気が蔓延しないよう、常に神経をとがらせています。

アマゾニアンは企業理念とともに成長する

日本企業では「理念を実践する」という表現を使うようですが、創業精神や企業理念と向き合う優良な企業が多いことは、これからの時代において一層価値あることになってくると思います。

グローバル社会における企業の社会的責任はますます大きくなり、国連が提唱するSDGs（持続可能な開発目標）、社会への還元、そしてコーポレート・ガバナンス（企業統治）などが重視されはじめ、多くの企業がその動きに同調しようという流れが、確実に生まれているからです。

Amazonも、SDGs活動を重視していく姿勢を大切にしています。このような姿勢の根底にある私たちの企業理念のなかでも、特に中心的役割を果たしているのがLPなのです。

LPは、アマゾニアンの視点や考え方を示すものであり、行動指針そのものです。社員の実際の行動や姿勢といったものを、常に企業理念に照らし合わせて、どんなギャップがあるかを把握し、軌道修正をしていく。そのような好循環が機能する組織体を保ち続けることで、Amazonらしさも維持されていくのだと考えています。

　ただ、私たちの**LP**への向き合い方は、日本の多くの企業から見ると、少し変わっているかもしれません。理念があって、それを実践するという直線的な感じではないのです。

　大企業病に陥ってしまう組織には、素晴らしい企業理念があっても、それを日々の行動に落とし込めていないということが指摘されます。それは、理念がルールになってしまっているからではないでしょうか。

　もちろん、Amazonにも厳格なルールはあります。変えるべきではないことをはっきりさせて、徹底していくことの重要性も無視できません。必要最低限なルールには、心から納得して従うことも、組織を維持していくうえでは必要です。

　しかし、ルールに従うための行動は、一人一人の自発的かつ積極的な行動とは大きく異なるものであることを留意するべきだと思うのです。

歩くLPになる、未来を共創する

　グローバル社会では、同じような状況や課題が、世界のあらゆる場所で生じています。Amazonは、グローバルな組織として、その世界中のお客様の声を聞くことができます。膨大なお客様の声は千差万別であり、声の奥にある真因は何か、それぞれの声に対してどう判断し、優先順位をつけて対処していくべきか。そうした日々の活動における

地道な努力を積み重ねるなかでも、LPは活かされています。

　LPに相反するような事象や行動を、どう限りなくゼロに近づけていくか。それは、社員一人一人のリーダーシップをどうやって最大限まで発揮できる環境をつくるか、ということでもあります。

　そのためには、まず意思決定のスピードが重要です。全世界の従業員数が100万人を超えても、創業の頃と変わらないぐらいのスピード感で物事を進めていく。それに対して、各リーダーも自らの任務をスピード感あふれるものにしていく。そのうえで、日本建築の木組みのように、お互いががっちりと組み合わされた強いチームを創り上げていかなければなりません。

　同時にリーダーは、部下にどんな目標を掲げてもらうかということにも大いに気を配る必要があります。前述したように、私たちアマゾニアンは、その目標とする水準をBar（バー）と呼ぶようにしています。

　他の企業がそうであるように、毎年、翌年の事業計画をつくり、設定した目標を達成することが各事業の責任者に求められます。しかし私は、目標達成に満足することよりも、次の高みを目指していくことにやりがいを感じていく姿に、Amazonらしさがあると考えています。

　実際にリーダーたちに、「目標達成さえしていればいい

のですか。新しい情報や学びがあることで目標をより高く設定することができるのではないですか」と問いかけることもあります。常にバーを上げることに力を注ぐことで、自然と**Customer Obsession**が発揮されることになるからです。

　まだまだやるべきことがたくさんある私たちには**Insist on the Highest Standards**、すなわちお互いの仕事と目標の基準を向上させ続けることが必要なのです。

　かつて創業理念を信奉する日本企業が「金太郎アメ集団」と揶揄されたことがあるように、私たちもある意味、金太郎アメ集団であり、**LP**を指針にすることで、発言や行動が共通してくることはあるでしょう。それはなにも悪いことではなく、逆に、みんなが「歩く**LP**」でありたいと思うのです。

　そうして変化し続ける環境に対応し続けるなかで、**LP**でさえ、より環境に即したものがあれば変更していくという柔軟性を備えているのが、Amazonのカルチャーであり、同時にそれを実現することはリーダーの責任でもあります。

　私が前にいたP&Gもそうでしたが、Amazonでは、組織文化を意図的につくっていくことを大切にしています。採用時点で、履歴書に書いてある内容より**LP**にかなう行動をとってきたかどうかを見て判断をし、入社後も引き続

きLPを活かすことで一人一人の育成につなげていく。この繰り返しが、組織文化や社風をしっかりと形作っていくのだと考えています。

　ミッションに向かって、未来をともに創っていくために、共通言語と理念が必要になります。AmazonではまさしくLPが、その役割を果たす重要な存在の一つなのです。

挑戦の輪は、つながって、広がり続ける

Amazonソムリエという日本発の事業の立ち上げ

まだ**LP**が現在のように確立されていない立ち上げ当初のAmazonでは、「地球上で最もお客様を大切にする企業になること」という企業理念、そしてWork hard, Have fun, Make historyというスローガンが心の拠り所だったと思います。開催するイベントで社員が着るTシャツや、お客様に差し上げるノベルティには、必ずWork hard, Have fun, Make historyを印字していました。

それから20年、今では毎日の生活に欠かせない消費財も多く取り扱うようになりました。化粧品、食品・飲料、ペット用品、ベビー用品など、品揃えを豊富にするために各事業を立ち上げていくなかで、酒類販売卸売業免許をとり、お酒というカテゴリーにも、2014年から本格的に取り組んでいます。

当時、Amazonの他の国では酒類を取り扱っておらず、アマゾンジャパンが初めて取り組むことになりました。立ち上げ準備の過程で、お酒の場合、そのカスタマーエクスペリエンスにおいて、オンラインとオフラインのギャップ

がいくつかあることがわかりました。

初めて口にするお酒を買う前に、多くのお客様はまず試飲されたいのではないでしょうか。そのギャップを埋めるために、Amazonソムリエというサービスが考案されました。オフラインでワイン販売の経験と知識が豊富なソムリエに、電話やメールでワイン選びの相談ができるサービスを立ち上げることにしたのです。

ワインのショッピング体験を提供していくために、まずオフラインのワインストアと私たちAmazon.co.jpのワインストアを比較しました。

オフラインの場合、そのお店にワインに詳しい人・専門的な知識を持った人がいて、予算や目的を言えば、お客様の探しているワインの候補を挙げたり、いくつかのすすめを言ってくれるでしょう。

そのサービスを、Amazon.co.jpでもなんとかできないものか。そこで実際に、ソムリエを数名雇い、メールと電話で、ワインをAmazonで探している人向けにアドバイスするというサービスを、1年後くらいから始めたのです。

このサービスを発表したとき、ニュースは世界中のメディアに一気に流れました。当時、Amazonは「自動販売機のようだ」といった、オートメーション化の方向のみを突き詰めているかのような批評を浴びせられることもありました。そんななかで、ヒューマンインターベンション、す

なわち人間を介してお客様に付加価値を提供することを、日本においてお酒の直販事業を通して始めたことが、驚きをもってメディアでも取り上げられたことを今でも記憶しています。

　この挑戦は今も、事業としても、スピリットにおいても、後続のリーダーたちに受け継がれていると感じています。

　また、食品・飲料、化粧品などの消費財において、アマゾンジャパンでは各事業部に分けて、それぞれのビジネスを動かしていますが、新規はもちろん、リピーターのお客様が多いことがそうした商品の大きな特徴です。リピーターの方々はしかも、就職や転職、結婚や出産、ペット飼育など、生活の変化に応じて必要となる商品や購買量が変わっていきます。

　ではお酒はどうか。ワインは特に、人によって好みやこだわりが多種多様になります。日本国内で販売されている商品だけでは、Amazonとして十分な品揃えができないともいえます。

　ならば、ワインを直輸入すればいいではないか。消費財においてはそれまで、Amazonが商品を直輸入するという例がなかったのですが、プロジェクトを立ち上げ、他部門の輸送・通関関連の担当チームや、賞味期限管理や倉庫での管理方法を見ているフードコンプライアンスチーム、さ

らには法務とも連携し、日本で正しく流通させるメカニズムを構築しました。

　Amazonが海外のワインを直接仕入れ、日本で独占販売することも可能となったこのメカニズムの構築は、他のカテゴリーにも展開させていくことを視野に入れることができるものであり、品揃えの拡充という観点で大きな強みとなるものです。

　一つの挑戦を一つの成果で終わらせるのではなく、組織としてさまざまな成果を生み出せるよう方向づけて、その連鎖を生み出すメカニズムを構築していく。それがまさに**Customer Obsession**の追求そのものだということを私たちはこうした体験のなかで学び続けているのです。

Amazonが変革において重視する
専門的スキルとメンタルモデル

　多くの人の知恵を借り、集め、活用することをアマゾニアンたちは大切にしており、役職や職歴とは関係なく、これまでずっと意識的に行ってきました。このことはAmazonが、個々の専門的スキルと同時に、メンタルモデルも重要視していることを示唆しています。

　専門的スキルとは、例えばあるメカニズムのなかで、どうアルゴリズム（問題解決のための方法や手順）を使うかといったようなことにおいて必要とされるものです。そしてその専門的スキルを活かしてメカニズム化をするうえ

で、関わるメンバーすべてのメンタルモデルを認め合い、シェアして、「私たちはどこへ向かおうとしているのか」というイメージのすり合わせ、共有化をはかることが非常に重要になってきます。

　発注システムと販売予測システムがどう連携していくのかといったことも、チームのメンバーがメンタルモデルを共有化していくなかで、より深い理解と貴重な学びが生まれ、刺激がもたらされるのです。

　アルゴリズムを作るということ自体も、単なるプログラミングだけの話ではないのです。お客様のニーズを数字にどう反映させ、その数字と別の数字とを、どのようにつなげていくかといったことによって、アルゴリズムは生成されます。マーケティングにおける課題があれば、その問題をどうやってアルゴリズムにまで落とし込んでいくかを考える。そうした作業によって、複雑な世界をアルゴリズム化していく過程において、常に深く掘り下げ、解を求めるために、専門性の高いエンジニアやプログラマーの人たちと会話をし、議論を交わして、メンタルモデルをすり合わせていくことは、お互いの成長にも繋がっていきます。

　また、デジタル・トランスフォメーション（DX）においても、その推進は、当該分野の専門家のみによってけん引されるのではありません。経営者自身、経営陣にも様々な判断をするための知識と経験が求められ、専門家たちとのメンタルモデルの共有も必要とされます。

主にVPのポジションにいるアマゾニアンたちを各国から集めて行われる３カ月ごとのリーダーシップチーム・ミーティングで、消費財についてAmazonはどう考えるべきかというトピックが挙げられたことがありました。

　それまでAmazonが消費財をより便利にお客様に購入していただくために開発してきた魅力的なプログラムを土台にしつつ、新たな視点で、お客様の購買行動について考え直したのです。

　米国では特に、お客様は実店舗で、単品を日々買い物することもありますが、週に１回、大量にまとめ買いするという習慣があります。そのような購買にいたるお客様の行動や習慣を把握・分析して、Ｅコマースに反映させるために、あるリーダーが熱意を燃やしたのです。

　一口に消費財といっても、日用品や必需品そして生鮮食品まで、商品は多種多様です。お客様のライフスタイルによって購買動向が異なるこの複雑な世界を理解するためのフレームワークをつくり上げ、次にそれを具体化するためのプログラムをどのように管理するかの実験にも取り組みました。さらには、実店舗で提供されているサービスが、Amazonにおいても似たような、もしくはそれを超えるようなサービスを提供する可能性について考案しました。そして、そのようにお客様を起点として、消費財のＥコマースという世界において提供すべきサービスの姿まで描き上

げるという素晴らしい結果を生み出すことができたのです。Amazonにおいて、それまで生成されていたメンタルモデルを見直し、既存のやり方を壊して、新たな方向づけを創造することに成功したのです。

　この時に受けた刺激を、私はアマゾンジャパンの各事業部のリーダーにすぐさま伝えました。スキルとは違って、このような概念的なものの考え方というものは、消費財以外の事業においても応用できるものだからです。しかも、他の事業領域でも、創造のための破壊がいつ必要になるかもしれないという危機意識が当時の私にあったからでした。

　その後、実際にAmazonにおける消費財の事業は、**Amazonフレッシュ**、**Amazonパントリー**、**Amazonファミリー**、**定期おトク便**などの事業を次々に立ち上げていきました。お客様のライフスタイルに寄り添うイノベーションがAmazonにもたらされたのです。

「それでは君を守れないよ」 ──チームとしての絆

　アマゾンジャパンで毎週行う経営会議のような場では、単に数値的な経営結果を共有するだけではなく、先週に何があって、今週は何を実行していくのかといった内容にまで踏み込んで、各事業本部の責任者たちが議論をします。

例えば、書籍であれば商品の入荷率や、売上数字の変化についてもその背景まで説明がなされ、様々な角度から検証します。また、アマゾンジャパンの事業本部の責任者になったVPたちは、その上司となる米国本社のSVPたちとの会議もあります。会議の前には、日本のVPたちによるマネジメントチームで準備をして臨みます。

　ある時、SVPたちとの会議で、新しく就任したアマゾンジャパンのVPが、Amazonでの経験が少ない段階でありながら、事前に準備していた時には議論に挙がっていなかった話を始めたことがありました。会議に参加しているSVPたちに、懸命に説明をするのですが、私は事前に聞いていない内容なので、的確な助け船を出せませんでした。

　会議終了直後、そのVPを私の部屋に呼びました。「なぜ事前に打ち合わせてもない話を持ち出したの？」「それでは、君を守れないよ」と伝えました。心を込めて話したその日のことは、今でも忘れていません。

　中途採用で戦力として組織に入った人たちには、自分の生き残りのために部下を犠牲にするような責任者がいる職場で働く経験が少なからずあるようですが、自分のチームを守ることがリーダーの本来の役割ではないでしょうか。

　ですから、米国本社のSVPとの信頼関係を築くうえで、アマゾンジャパンという一つのチームとしての発言をして

いくことは必要不可欠です。これは、どんな組織において
も相通じることでしょう。

　個々の発言が乱れ飛ぶと、混乱が生じ、結局は乱してし
まった人の評価が下がり、あわせてチーム全体の評価や信
頼を損なうことになりかねません。チームのお互いがサポ
ートし合うことができないと、発揮できる力は限られたも
のになってしまうのです。そうしたことを、アマゾンジャ
パンは大切にし続けたいと思うのです。このVPとはその
出来事があってから、絆が深まったように思います。

　彼は、大手企業やコンサル会社でさまざまな実績を積み
重ねてきた人です。アマゾンジャパンで働くことが決まっ
たとき、周りの人たちからキャリア・スーサイド（キャリ
アを棒に振る行為）だと言われたそうですが、アマゾンジ
ャパンの仕事に魅力を感じて入社してくれました。「いっ
たいこれから何が起こるのだろう。面白そうじゃない
か！」という思いが勝ったそうです。

　彼が書籍担当として入社を検討している時、なぜBtoB
の領域でキャリアを積んできた彼を採用しようとしている
のかと尋ねられたことがありました。アマゾンジャパンは
BtoCのビジネスに見えるかもしれないが、実際には出版
社の方々との関係が重要で、BtoBの事業と変わらない。
だからBtoBのスキルを活かすことができるはずだと答え
た記憶があります。

　それまで築いてきた経験や知識は、本人が気づかないと

ころで発揮できたりするものです。このような気づきを促し、新しいキャリアに挑戦していく機会を創出していくこともAmazonは大切にしています。

お客様の立場に立ち続ける、そして繰り返し問い続ける

　優秀なリーダーであっても、新たなカテゴリーを担当したり、レベルが1段も2段も高い仕事を担うときには、とまどいを感じたり、間違った判断をしてしまい、チームの仕事がうまく回らなくなるというケースに陥ることはあります。それでも真に優れたリーダーは、ある程度の道筋が示されると、その難局に迅速に適応して、解決へと導いていくことができるものです。

　そうした適応力のあるリーダーに成長してもらうことも、結果としてお客様のためになることなのですから、私も気づくかぎり、タイミングを逃さず、他意のないストレートな表現で各リーダーへ直接、フィードバックをするように心掛けています。

　会議において、「それはお客様のためになるのですか？」という問いを数えきれないほど投げかけてきました。職階にかかわらず、繰り返し、どのリーダーにも問いかけています。また、説明が論理的ではないときに、「それはなぜですか？」と必ず問い直します。

　例えば、週単位で行われる会議で、売れ筋商品の欠品率

が上がっているメトリクス化されたデータが提出されたと
します。その担当のリーダーに説明してもらいながら、私
はスマホを見ます。他社が在庫を確保できているかどうか
をすぐに確認するためです。

　メーカー側の欠品の際でも、どこかの小売業の店舗には
まだ在庫があるということはあり得ることです。他社が適
正数を仕入れていたなどの結果からくる必然なのか、また
は偶然なのかは、その時点ではわかりません。しかし、他
社にはともかく在庫がある。その現象や結果に対して、真
摯に向き合い、「なぜか？」を問うところに、改善やメカ
ニズムづくりのきっかけがあることは、私の経験上、間違
いないことだからです。しかもその「なぜ」は、担当部門
における次のステップへの気づきをもたらしてくれるもの
だともいえます。

　お客様自身が、スマホを通して、様々な情報に迅速にア
クセスできる環境にある時代です。カスタマーエクスペリ
エンスを向上させるためにこんな機能にアップグレードし
たいという社内の企画提案に対しては、私たちは、机上の
議論ではなく、まず自分の目で確認します。自らがお客様
の視点を持ち、提案に対しては、「これが足りないんじゃ
ないか？　なぜ今、こんな状態になっているの？」といっ
た現状の改善を促す指摘を、可能なかぎり行うようにして
います。

さらに、実店舗でのカスタマーエクスペリエンスを自ら
が体験するために、週末に子供を連れて買い物に行くとき
にもよく観察するようにしています。ホームセンターに買
い物に行くと、□□社の△△色のペンキがあるけど、
Amazon.co.jpにはその品揃えがない。「なんで、ないの
ですか？」と担当事業部の責任者にEメールを送ったこと
もありました。

週末なので即座の返信を求めているわけではないのです
が、担当のリーダーの仕事を向上させ、お客様の選択肢を
広げていくことになると判断した場合には、このように直
接、連絡を入れるようにしています。

会社の経営とは別に、一人の消費者としての意識、体験
を絶やさないよう、絶えず好奇心を駆り立てて行動してい
くことが、**LP**の**Learn and Be Curious**という行動につ
ながっていくのだと思っています。

ちなみに創業者ベゾスは、お客様からのEメールでのご
意見やご要望に目を通した後、件名欄に「？」マークだけ
書き入れて、該当する部門の責任者に直接メールします。
担当者は、お客様の声を真摯に受け止め、原因を詳細に調
べ、解決していくことになります。

ベゾスからの疑問符には、お客様からの声の一つ一つ
が、私たちがミッションを追求し続けるためのお客様から
の贈り物であるという想いが込められています。現状に満

足せず疑問を持ち続けるという前向きな姿勢があってこそ、ご不満を抱くお客様を笑顔に変えていくことができると信じています。私自身が率先して真摯にお客様の声に耳を傾け、行動し続ける姿勢を社員に示し続けていきたいと思っています。

自ら限界をつくらないリーダーになる

あるとき、建築の部材を扱っているメーカーの建材における品揃えについて気になることがありました。それまでアマゾンジャパンでは、施工を伴わない簡単な部材の品揃えを充実させていました。このカテゴリーでは、オンラインではオフラインにかなわないという先入観があったからかもしれません。実際にメーカー側も、私たちAmazonと同様の判断をされていたように思います。

つまりこのケースにおいて、アマゾンジャパンは自らの限界を決めてしまっていたわけです。それは、お客様が決めることであるにもかかわらず、です。幸い、当該企業のCEOが私と以前に面識のある方で、直接交渉をするなかで施工を伴う建材についても十分な品揃えができるようご協力をいただくことが可能になりました。

数量がさほど出ないかもしれないような商品でも、品揃えを増やしていくところに **Customer Obsession** があるのです。そして、自ら限界をつくってしまい、お客様が何を求めているのかに耳を傾ける前に挑戦をやめるのではな

く、伸びしろが常にあると捉えるリーダーシップこそ、**LP**にある**Think Big**や**Bias for Action**で求めている姿勢です。

　考えてみれば、約20年前にAmazonが日本で事業をスタートする前、オンラインで本を買うことが当たり前になるということをどれだけの人が予測し得たでしょうか。オンラインでの販売との親和性が低いと思いこんでいる商材も、まだたくさんあるにちがいないのです。

　例えば家具のようにファッション性が求められるものは、実際に手触りなどを確かめたいし、ソファーやベッドの場合は使用されている生地の感触をじかに触れて比べてみたいはずです。色調や実際に部屋に置いたらどう見えるかといったことも確認されたいお客様は多いでしょう。

　このような商材を、Eコマースでも揃えるために、Amazonが先頭を切って、見えない障壁を取り除いていく。そうした役割を果たしていくことも、現在のAmazonのミッションの一つになってきたように思います。

　実際の事例として、例えば**ARビュー**という2019年5月に発表したサービスがあります。AR（拡張実現）というテクノロジーを使って、スマホの画面に商品を映し出す機能です。スマホのカメラを通して配置したい場所に、商品の3D画像が部屋の縮小率に合わせて原寸大で表示されることで、様々な角度から商品を配置した部屋のイメージ

を購入前に確認できるのです。また、商品の生地の一片をお客様にお送りして、触感や色味などを確かめることができるようにするといったことにも挑戦しています。

すでに成功している企業がいて、国内でもいくつかの有力企業が存在感を示しているような事業領域においても、お客

椅子などの商品を配置した部屋がイメージできるARビュー

様のご要望に応えられていないカテゴリーがまだあるはずです。

読みたい本がたとえ1冊でもすぐに手元に届く。電子書籍であればもっと早く手にしていただける。しかし本を手に取ってワクワクして次のページをめくるという読書体験を電子書籍でどう提供するか……。書籍のようにすでに完成されたように思われていた分野ですら、テクノロジーを活かしてよりよいカスタマーエクスペリエンスをご提供し

ていくことにアプローチできたのですから、限界をつくらないという Amazon の挑戦に終わりなどありません。

お客様の満足度を追求したARビュー

ARビューについてもう少し掘り下げてみましょう。開発を進めていく途中で、色々な制約に縛られ、実現すること自体が目的になってしまうというようなことはよく生じるものです。

それならまだしも、さまざまな制約のあまり、優位度が高くないものを優先して開発を進めていることに気づかず、商品化してもお客様の期待にまったく応えることができないレベルのものができてしまう。そんな間違いを犯して、**Customer Obsession** がどこかに押しやられてしまうことは絶対避けなければなりません。

ARビューの開発段階で、実はアマゾンジャパンにおいてもそうした問題が懸念されました。関係者の意識や視線、知恵が、米国で成功したものを、日本のお客様向けにカスタマイズするという目的に集中してしまっているように見受けられたのです。

お客様にとっての最大のメリットは何か。どう使いやすさを向上させるのか。もっと使っていただくには一体どうすべきか……。米国でも試行錯誤をしながら開発を進めている商品やサービスを、アマゾンジャパンでも日本国内向

けに開発することにした場合に、このような事態が生じることもあるのです。

　開発の進捗報告や説明をする会議において、アマゾンジャパンが提供するサービスとして、どこかしっくりこない面が感じられる状況に気づき、開発に取り組むチームの視線を今一度、高い目標値へと引き上げる。それこそが、リーダーの役割です。

「そもそものビジョンは？」「もう少し高い位置で戦略を考え直せないのか？」「他のいくつかの機能の開発と導入も進めているのだから、それを総合的に組み合わせて考えてみてほしい」「そのとき、お客様にはどういうメリットがあるの？」

　そうした指摘やアドバイスをしていくことで、担当チームは開発の目標や課題を再認識することになります。

　ARビューの開発段階においても、このような議論と努力を積み重ねていった結果、日本のお客様に特有のニーズを掘り下げ、そこに対するソリューションを考えるという姿勢に変わっていきました。社員がどんなに頑張っているかが重要ではなく、高い目標に向かい続けることが**Customer Obsession**なのであり、気を緩めるような発言は厳禁なのです。

　この**AR**ビューに関してさらにいうと、開発している機能ごとにworking-backwardsの手法をもとに作成されるPR/FAQ（P78参照）があり、複数の開発を並行して進め、

相乗効果をもたらすサービスにしていくことを目指すとても難しいプロジェクトでした。

　しかし、**Customer Obsession**に妥協があってはならないという社内の共通認識があるからこそ、妥協を許さない姿勢をみんなが共有し、力を出し合うことも可能になるのです。

　ARの開発をするエンジニアは、米国や海外にいることが多く、イギリス、ヨーロッパ、インドとも連携して仕事を進めています。必要に応じて、グローバルなチームが緩やかに組成され、世界中の叡智を結集することができるのは、Amazonの多様な人材のおかげだと思います。

　開発において、「スマホでどう見せるか?」というテーマを中心に開発していくチームと、ＡＲで見ることを可能にするために商品の3Dモデルを作成するチームが世界各国にあります。ネイティブではない英語も交じり合うような会話が、エンジニア、プロダクト・マネージャー、エンジニアのマネージャーといったメンバーがコンタクトしていくなかで、進められることになります。

　このようななかで、現地のプロダクト・マネージャーが**Customer Obsession**から心が離れていかないように、共通の目的に向かって邁進していける環境の醸成をAmazonでは意識的に行っているのです。

最後はお客様が決める

Amazonフレッシュ、クオリティへの挑戦

　日本でもう20年近く続けているAmazonのEコマース
でも、つい数年前に立ち上げて、その拡充や整備に日々知
恵を絞り、試行錯誤をしながら、経営を進めている事業部
門もあります。

　例えばAmazonフレッシュという、米国の一部地域で
2007年に開始された事業がそうです。**プライム会員**に対
して、こだわりのある生鮮、食品・飲料などをお客様がご
希望する時間帯にきちんとお届けするという事業です。ア
マゾンジャパンでは2017年に日本国内の一部地域におい
てこのサービスを開始しています。

　Amazonフレッシュが主に取り扱っている商材は、日本
社会全体を見渡してみると、個人商店だけでなく、スーパ
ー、コンビニエンス・ストアなどの実店舗を抱えるたくさ
んの優れた企業によって日々提供されています。

　例えば、もともとは米国で創業した企業だったセブン -
イレブンなどは、本国より、日本のほうが大きく支持を得
ています。全国に約2万軒の店舗があることを日本に来て

から知り、コンビニエンス・ストアが日本人の生活の一部になっていることも次第にわかってきました。

そうした多くの店舗で扱う食品は、例えばその日の天候など、予期できない環境によっても売上が左右されるものであり、とても難しい事業であることを日々実感しています。

さらにいえば、日本人の食の安全に対する意識の高さは、世界でもトップクラスであり、清潔さへの期待値や、食材の色彩などの情緒に訴求する側面でのこだわりなど、あらゆる面で洗練されたお客様であることも思い知らされています。

Amazonにおいて追求すべき3つの大きな柱である品揃え、価格、利便性とともに、品質や安全性などのクオリティを強く意識することがこの事業には常に求められています。そうした要件に対する配慮なくして、**Customer Obsession**の追求どころか、この事業を続けていくことさえ許されないと、日本における事業責任者も強烈に自覚しています。

日本で食品・飲料をオンライン購入する割合は、まだ3%を超えない程度といわれています。それゆえ、オンラインで生鮮食品事業を成功させることは非常に難しいとよく指摘されます。例えば、バナナやたまごのように、新鮮さという点で取り扱いに徹底したきめ細かな配慮が必要とさ

れる食材には、一つ一つに特徴があります。お客様にお届けするその瞬間に、どれだけ新鮮さやクオリティを高め、手に取ってくれたお客様に喜んでいただけるかを追求し続けています。

　Amazon内でも未知数の部分が多く残されている、逆に考えれば大きな可能性が秘められている。そして何よりも、この事業は人々の日常生活を維持していく上で欠かせない仕事です。ちょっとした油断や過失によって、それまで築いてきた信頼が一瞬で失われる、そういう仕事なのだとも思っています。

　それでも、この事業領域においてもオンラインでの販売の可能性を、アマゾンジャパンが率先して追求していくことで、日本全体における何らかの道筋を見いだすことができればという気概をもっています。

　ご注文品をお届けするというEコマースの利便面における優位性は高い。しかし同時に、保存方法や物流の面で、より神経を研ぎ澄ませる工程が増える。それらの難題に向き合い、解決していくことに、引き続き努力を重ねていきたいと思っています。

上手に上司を使い、上手に部下に使われる関係

　Amazonフレッシュのように、Eコマースで新しいリテール事業へと参入する場合、**Customer Obsession**を追

求すればするほど、現場での実体験から生まれるサービスの創造・開発が必要になります。

　現場からトップまでの情報伝達のことを、日本では上意下達の対語として下意上達という表現が使われてきたと聞いています。しかし、アマゾンジャパンの経営を担うようになって気づいたのは、上席の人を巻き込んで進行スピードを上げ、課題解決をしていくということを、案外苦手にしている日本の方々が多いということでした。生真面目に、自分の仕事を最後の最後まで、独力で仕上げようという意識が強いようです。

　Amazon内の事例を見ても、日本と欧米のチームを比較すると、上司を上手に自分の仕事に巻き込んで助けてもらったりして、仕事を大きくしていくというような進め方においては、日本のチームには課題があるように感じています。英語でいうエスカレーションというやり方が日本ではあまり好ましく思われていないようです。

　一人で、失敗か成功かの判断をしてしまう。課題に直面すればなんとか自力で乗り越えるように頑張る。そのこと自体が目的になるのは必ずしもよいことではありません。

　少なくともAmazonの場合、お客様へのソリューションを、会社としていち早く出せるようにすることが目的です。そう強く認識すれば、自分の任務も、自分だけの成功か失敗かではなくなるはずです。すると、チームや会社全

体で力を合わせ、よりよいソリューションを生み出すこと
が仕事の大前提になります。

　だからこそ、常にエスカレーションを使うのです。透明
性が高く、情報をオープンにして共有していくメカニズム
を基盤に、上司とともに、客観的に現状を把握していくこ
とが大切だと思います。その中で、明らかな危機にあるこ
とが示されていても、そのための解決方法をみんなで考え
ていけばいいのです。

　課題をオープンにすると、周囲の人たちと、他のよりよ
い方法をともに探しにいこうとする可能性が生まれます。
そこに、きっと良いアイディア、よりよい知識があるはず
です。そうした自ら動いていく行動こそが、**LP**でも重要
な条目としてある**Ownership**を発揮するということなの
です。

　Customer Obsessionを追求し、お客様を地球上で最
も大切にする。そして**Day 1**であるためには、組織内の
個人における成功よりも、チームや上司を巻き込んで成功
していくことのほうが望ましいことなのです。そもそも、
組織において一人だけで結果を出すということなど本来あ
り得ないことなのです。

　周囲からの支援を求めれば、早期に解決できる案件に、
何週間もかけて自力で完遂させようとして、成果を出せ

ず、焦りと不安に覆われてしまう。このような状況は、組織として絶対につくってはいけないし、そのために一人一人が自らの仕事の状況をオープンにしていくことが大切です。難しいことかもしれませんが、グローバル企業で働くうえでエスカレーションを機能させていくことは欠かせないものです。アマゾンジャパンにおいても、さらに強化をしていかなければならない一人一人の共通課題として認識しています。

自らのキャリアを切り開くOwnership

　LPのOwnershipは、仕事に対する姿勢だけでなく、Amazonでのキャリアに対する考え方においても貫かれるものです。お客様を起点としてサービスを考え出す。それをもっとも効果的に、社会に普及させていくための組織をつくる。その計画に従って、社内での資本や人材の重点具合を調整し、人材を絶えず流動させていく。Amazonが目指している姿です。

　あわせて、各社員のパフォーマンスや貢献度を、どの国、どの部署、どんな仕事に対しても同じように評価できるようにする制度設計とその実行を推進しようとしています。具体的にいえば、アマゾンジャパンでは高く評価された社員が、米国本社に赴任して、本社での評価と異なるようなことは避けたいということです。

　社員が持っているスキルやリーダーシップを、どの国で

も存分に発揮できるよう支援していく。そのような環境が
ある限り、様々な人材が協力し合い、グローバルレベルで
お客様のためのイノベーションを創出し続けていけると考
えています。

　実際、アマゾンジャパンでは、社内での部門異動を積極
的に推進しています。自らが手を挙げて、様々な仕事を体
験し、自分の能力をもっと発揮できるかどうかを実際に確
認してみたいといった積極的な姿勢を奨励しています。
　自分自身がパッションを感じることができるキャリアを
通して成長し、そのことを楽しみながら、会社にも貢献し
ていきたい。そのための選択をし、主張していく。仕事や
私生活を含め、自身の人生を自らの意志でつくり上げてい
く **Ownership** のみなぎる社員に対して、会社が最大限の
成長機会を設けるように努力していくことは、結局は
Customer Obsession の追求につながっていくのだと信
じています。
　そしてその実現をはかる社内の人事評価の均一性をグロ
ーバルレベルで維持していくために機能する共通言語とそ
の共通理解が **LP** なのです。

会議で一つだけ空いた席をつくる

　A ＋（エープラス）というサービス機能が、Amazon に
はあります。Amazon に商品を納入してくださるお取引先

企業の方々がそれぞれの商品を拡売していくために、利用していただくサービスで、簡潔にいえば、商品の詳細ページに、動画や比較表など、商品説明に関するリッチコンテンツを提供していただけるようなツールのことです。

その開発のための議論をしていた2018年末のことだったと思います。開発の担当部門から、著作権等に関わる法務的観点から、動画を入れる場所を変えるべきではないか、という提案がありました。確かにその方向で進めるほうが、起こり得る課題を最小限に抑制できるようにも思えたのですが、「お客様にとって本当にベストか?」という疑問も残されるものでした。

そこで私はいつものように、エンプティチェア（空の椅子）を使うフィードバックをしました。それは、もともとは心理療法の一つとして知られるものです。ベゾス流の活用方法があり、Amazonでは、重要な会議に一つだけ空いている席を設けるのです。その椅子は、急に欠席や遅刻せざるを得なくなった参席者のためのものではなく、お客様の席だと考えるのです。

お客様が同席していると意識することは、会議をより**Customer Obsession**なものにしてくれるはずです。会議に参加する人たちは、空席の椅子に座るお客様の顔や表情もそれぞれが違う想像をすることでしょう。それがAmazonの新しい開発や創造を、よりよいものにする重要なポイントになるのはいうまでもないことです。

このお客様の声というものに関して、日本の商人は強く意識してきた歴史があると聞いています。声に耳を傾け、それを鉄則とするのは、日本のビジネスにおける伝統であり、しかもその声には、直接的なものだけではなく、概念的なもの、潜在的なニーズも含まれると認識しています。

プロダクトアウトで成功したとされる日本の企業家はたくさんおられますが、例えば日清食品創業者の安藤百福さん（故人）という世界的な発明家がいます。カップヌードルという画期的商品を生み出した彼は、マーケティングに関してこう言ったそうです。

「君たちは市場調査に金ばかりかけている。私は３人に聞けばわかりますよ」（『転んでもただでは起きるな！』安藤百福発明記念館編、中公文庫）

コアとなるお客様の声を嗅ぎ分けることができれば、真のニーズが把握・理解でき、本当に必要とされる商品を開発できるということでしょう。お客様一人の席を常に設けるというAmazonの会議手法のアプローチと本質的部分においては変わらないように思えます。

確かにAmazonにとってのお客様の声は、日々のビジネスのなかで生成されるデータです。それに加え、カスタマーサービスセンターに集まるたくさんのお問い合わせです。すなわちお客様のご不満やお褒めの言葉は、商品やサービスの開発において、とても重要なフィードバックにな

っています。

　さらにいえば、自らお客様の声を聞きにいく事業部門も
アマゾンジャパンにはあります。また、グローバルレベル
で聞くことのできる様々な声が蓄積され、様々な洞察や発
見につなげているところにAmazonの特徴があります。

　加えて、Amazonの事業展開は主にオンラインを中心と
したものですが、スーパーや量販店などの実店舗からも
様々な学びを得てきました。Eコマースには未開拓の部分
が多く残されており、Amazonにはわずか25年の歴史し
かないのです。他の企業は、競合というよりは学ぶべき存
在であり、声を提供してくる存在です。

　こうした貴重な情報を提供いただくすべてのお客様に、
私たちアマゾニアンは感謝の気持ちを忘れてはならない
し、そのお返しとして、よりよい商品やサービスを提供し
続けていかなければならないと考えています。

結果と目標を正しく意識する

　創業者のベゾスは、わかりやすく印象深いものを示し
て、人々の理解を得ることに長けているように思います。
創業期に、投資家への説明のために、ベゾスがナプキンに
描いた図は、今もAmazonの事業の核となっています。

ベゾスの示した Amazon のビジネスモデル

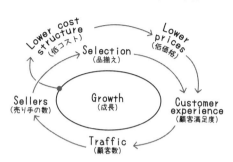

　25年もの間、成長のための変化を遂げてきたわけですから、この１つの図で、Amazonの事業すべてを表現できるかどうかといわれたら、それは難しいのかもしれません。ただ、原則的な部分は何も変化していないと言い切ることができます。創業者ベゾスの視野が、当時からずっと長期的な視点に基づくものだったからでしょう。

　ところでこの図には、Eコマースにおけるキーワードの一つとされるパーソナライズという言語がありません。よくAmazonの強みとしても取り上げられるパーソナライズ（一人一人の属性や購買、行動履歴などに基づいて最適な情報を提供すること）という方向性は、私たちにとって、確かに重要テーマです。

　けれどもその具現を目指そうとしたときに、品揃えや価格、利便性といったさまざまな要素と同様に最も大事なものだといえるでしょうか。

品揃えや、価格、利便性というものは、個々のお客様によって異なるものです。しかも、同じお客様でも日々の状況で変化していきます。カスタマーエクスペリエンスにおいて何が重要なのかは、その人その時によって違うし、変わるのです。

　それを、私たちが決めることはできません。大事なのは、お客様が選択する自由をもつこと。お客様が、そのときに最も必要とするものを、最優先でご提供することなのです。

　お客様の選択に対して、つねに最善の商品とサービスを提供することがAmazonの目的であり、パーソナライゼーションはそのための手段なのです。そしてパーソナライゼーションの実現は、Amazonにとって、目標ではなく、あくまで結果なのです。私たちの意識は常にお客様に向けていくべきだと思うのです。

　日本社会にずいぶん浸透してきたAmazonアレクサも、それぞれの人に、それぞれの好きな方法を選択し、個々の趣向に合った設定にし、楽しんでいただくことが目標です。

　Amazonが提供するべき本当の価値とは、パーソナライゼーションのためのツールではなく、お客様の望みを可能にするということです。お客様一人一人が、スタートレックのような近未来の世界を超える独自の世界をつくり上げる、そんな可能性を提供することができればとても嬉しく

思います。**Amazonアレクサ**が進化していくなかで、お客様それぞれの未来が、どんどん進化していく。そのような夢があふれる世界を私たちAmazonは思い描いています。

戦略はミッションから生まれるもの

　Amazonにとってとても重要な商材である書籍というのは面白い性質をもっています。販売元にとっての新刊と、読者にとっての新刊は違うといいます。読者にとっては、実店舗でもオンラインショップでも、ともかく書店という場所で初めて出会った本は、すべて新刊だというのです。

　確かに新刊も古典も、お客様が手に取りたいと望まれる点ではその違いはないといえます。

　実際に、良書といわれるものは、何世紀もの時代を越えて読み継がれます。驚くべき商品寿命です。たとえ300年経っても、その古典は古典ではなく、読者にとっては新刊なのだと思います。常に新刊としての価値がある、新しい知恵や洞察を、時代を越えて提供し続けることができる書籍を古典というのだと思います。

　Kindleではもちろん、可能なかぎり多くの本を配信できるよう日々努めています。Amazonでは、多様な本の在庫を保有して、必要とするお客様に迅速にお届けする事業を確立させることができました。Amazonの最初の事業である書籍のネット通販というビジネスモデルは、「地球上

で最もお客様を大切にする企業になる」というミッションの原型であり、私たちアマゾニアンの誇りでもあります。

　欲しい本が見つからない現象を起こさないために、売れ筋でないとしてもご用意しておくというロングテール戦略も、**Customer Obsession**そしてAmazonのミッションから生まれたものです。そしてこのお客様の多様なご要望にいつも迅速にお応えしていくというミッションの具現は、出版社様や取次会社様の協力体制なくして、できるものではありません。

　またアマゾンジャパンでは、仲間卸のような、書店業界においてもお客様のご要望に対する仕組みも導入しています。お客様のなかには、地方で出版文化を支えようと頑張っておられる街の小規模な書店様がおられます。希少品の在庫の仕入れ調達に悩まれるという声が聞こえてきます。オンライン、オフラインといった仕切りにとらわれることなく、お客様との共存共栄の実現にも挑戦し続けていきたいと思います。

第 **III** 部

これからも毎日が
Day 1

一つの挑戦の軌跡、それは書籍から始まった

お客様の求めるところに応じて組織ができる
―草創期の書籍事業

　これまで、アマゾンジャパンの成長期を彩る事業を例に挙げながら、私たちアマゾニアンの行動や考え方といったものをご紹介してきました。この第Ⅲ部では、そうしたさまざまな事業を生み出す前の草創期を今一度振り返り、アマゾンジャパンの創設以来、大事にし続けてきた経営観やカルチャーをさらにご紹介していきたいと思います。

　私がアマゾンジャパンで働くようになる前のスタートアップ期、現在はAmazonの外で仕事をされている少数のメンバーを中心として、書籍の販売事業への参入が開始されました。

　当時から、四半期ごとに実施する業績のレビューを出し、それをもとに議論をしていましたが、その時期はともかく、組織を継続的に変化させていく必要がありました。

　例えば、取り扱う書籍の販売促進用のコピーと書評の文章を、最初は社員やライターが書いていましたが、それをサイト上にアップするために、校正を担当する編集者もい

ました。現在ではそうした仕事は出版社様側から提供してもらうようになっています。成長するたびに、既存の職務は自然と必要なくなるので、担当者には新しい職務にシフトしてもらうようになります。

　お客様の求めるところに応じて、新しい仕事を創っていく。それに伴い、組織も新しくなる。新しいビジネスのツールも積極的に導入していきますので、それに順応し、常に学び続け、進化していくことを、アマゾンジャパンではごく自然に社員に求めるようになっているのです。

　先にも触れましたが、アマゾンジャパンの草創期は、業績が思うように伸びず、財務上から見ても厳しい状況が続きました。国内でようやくブロードバンドの普及が進み出し、それとともにオンラインを利用されるお客様が増え、経営状況も上向いていきました。

　当初は、コンピュータ書が主体でITに通じた専門的な人たちに購入いただいていましたが、次第に、和書のビジネス書や小説が売れるようになりました。ようやく一般のお客様に書籍のネット販売というものが認知され、受け入れられはじめたのではないか、という実感が現場にも芽生えてきました。Amazon.co.jpの書籍ランキングに、一般的な書店と同じような本が入りはじめたのです。そうした需要のシフトに合わせて、在庫も増やしていくようになっていきました。

ただ、この日本の出版事情は、米国とはかなり異なります。世界的に見ても独特だと思われます。まだ再販価格維持制度があるということが一番大きいのですが、他にも細々とした相違点があります。

　例えば、廉価本といえば、米国ではペーパーバックと呼ばれますが、日本では文庫と新書という区別があります。読書がより盛んだった当時の日本では、ハードカバーの単行本では経済的な負担が大きいため、廉価の文庫になる2〜3年後まで待つということも起きていました。

　そうした社会環境のなかで、アマゾンジャパンの草創期は、米国と日本のさまざまな違いを徐々に学び、Amazonにとって未知の経験と向き合っていくなかで、ベゾスの強い意思決定によって、経営判断がなされるケースもありました。

　例えば当時は、書籍の取次会社様との関係性を強化し、取り扱う書籍を増やしていくことが私たちの大切な仕事でした。新刊書籍は、出版社様から取次に仕入れてもらい、それを過去の販売実績等に応じて全国の書店に配本しますから、当時実績がないアマゾンジャパンが、新刊を仕入れることにも苦労がありました。

　歴史があり、独自の文化を築いてきた業界のなかで、アマゾンジャパンはいわば異端児的存在であり、米国では問題のない販売施策でも日本で導入することに難がありまし

た。

　わかりやすい事例でいえば、今のAmazonの**マーケットプレイス**では、新刊と中古書籍が同一の商品ページ内で紹介されていますが、そのようなことでさえ、当時はあり得ない状況でした。取次会社様だけでなく、メーカー（出版社様）側からも否定的に受け止められていたように思います。

　このサービスをアマゾンジャパンが始めたならば、日本の出版業界から締め出されてしまうのではないか、そんな可能性もあると私たちは考え、本社にも伝えていました。

　そうした迷いと危機感の中にあるアマゾンジャパンの創業メンバーに対し、「新刊が売れなくなってもいいから進めよう」というベゾスの言葉が投げかけられました。

　危機感は高まりましたが、不安感はなかったように記憶しています。リーダーの明快な決断というものは、課題が大きい時こそ重要だと思います。自らの判断を信じて、粘り強く展開していったからこそ、今の書籍事業があり、お客様が望む多くの選択肢の提供ができるようになったのです。

　一つのサービスを立ち上げるとき、さまざまな事項の優先順位をつけていくことが必要になります。そのなかのどれを優先させるかで、組織の形も社員の仕事内容も変わっていきます。選択を間違えば、組織も社員も成功につなが

らない道を辿る危険性があります。

　だから **Are Right, A Lot** と **Bias for Action** が必要になります。リーダーが明快な決断をし、そのための組織づくりをすることで、一体感が増し、大きな力を生み出すことができるのだと、この草創期の経験からつくづく思うのです。

Kindleストアの立ち上げ

　さて、書籍の販売が安定した成長軌道を描くようになると、今度は、Kindleストアの立ち上げ、さらにその普及拡大という大きな挑戦が待っていました。

　まず、Kindleストアの開始日は、最後までお客様に伝えませんでした。はじめにスケジュールを決めてしまい、少々の不備があっても出してしまおう、という発想はKindleストアに関してはあり得ないことだったからです。

　その作り込みの過程では、英語の電子書籍のように横書きにするか、それとも日本人が慣れている縦書きにするか、といったことも最初に議論しました。紙から電子書籍へと移行してくださるお客様の負担やリスクを減らすには何が必要なのか——。私もチームの会議に積極的に加わり、電子書籍で日本語の本を読んだときのカスタマーエクスペリエンスが、紙の本を読んでいるときと比べてどれだけ違和感がないかを、開発チームには頻繁に質問していました。

　例えば、私は読書をする場合は基本的に英語の本で読む
のですが、それゆえに英語と日本語の本の違いというもの
を強く認識しています。ルビの法則や行頭の禁則、すなわ
ち「。（読点）」が行頭に来ないというような日本語の本な
らではの細部へのこだわりにも、案外、気づきやすいので
す。こうした点は、編集者でもないかぎり、一般の読者は
あまり気づかないものですが、電子書籍が慣れた紙の本と
どこか違うことに違和感を覚えることはあり得ることで
す。

　また、当時の国内の事業責任者は、米国本社の担当チー
ムを日本の書店に連れていき、まず本棚に本がどう並んで
いるかを見せたり、それぞれの売上構成比を示したりし
て、現場の共有もしていました。漫画のコーナーを実際に
見せると、漫画も日本のKindleでは入れるべきだ、漫画
を入れるまではＯＫできないということが共通認識になる
わけです。

　そうしたさまざまな準備が一段落して、2012年の10月
にストアのオープンをしました。でもそれもいうまでもな
く、終わりではなくはじまり、です。なすべきことは無限
にあるのです。

　まず当時は、電子書籍を読むにはKindleの端末と、ア
ンドロイドとiPhoneのアプリがある、という状態でし
た。Kindleのグローバル展開におけるコンセプトとして、

Buy Once, Read Everywhere. というものがあり、一回買ったらどこでも何度でも読めることをキャッチフレーズにしていました。

　そのコンセプトに立ち戻って考えると、日本の**Kindleストア**はそうではありませんでした。他の米国やイギリスといった先に立ち上げた国々のPCやMacで読めるような環境の整備が、日本では色々な技術的問題もあって、できていないという弱点があったのです。

　携帯の端末で読めても、日本のお客様は漫画を読む方が多く、PCの大きい画面で読みたいというニーズに応えることができていない。そこで、全てのデバイスで読めるようにすることが、立ち上げ後のアマゾンジャパンの開発チームの目標の一つになりました。

　グローバル・プロダクトとして開発された製品やサービスを、そのまま日本のお客様にご提供するのではなく、再度、お客様を起点に**Dive Deep**するという姿勢が必要であり、このようなこだわりこそが、Amazonの**Customer Obsession**そのものなのです。

「マシンに失敗させようよ」

　近年のアマゾンジャパンでは、出版社様から直接、商品を仕入れ、在庫を管理し、読者であるお客様にお届けすることを継続的に行っています。お客様を起点に考えると、

できる限り多くの書籍からお客様が欲しい本を見つけ、できる限り早くお手元に届けるために、このような事業モデルの実現を追求してきました。出版社様との協力体制のもと、出版流通の変革に新しい風を吹き込み、その変化を共につくっていきたいと考えています。

　ただ、お客様のご要望に応え続けるということは、同時に業務が増え、煩雑化し、関わる社員も多忙を極めるようになるということです。だからこそ、**LP**の**Invent and Simplify**を実現して、新しい販売体制の未来に対応していくだけのメカニズムを構築するところにリーダーの責務があるといえます。

　具体的には、自動化を加速していく必要があったのです。そのような中で、私は書籍事業の責任者に、「Let machines fail.」と言いました。マシンに失敗させようよと伝えたのです。

　Bias for Actionという**LP**がありますが、実験を繰り返すことで前に進むことができます。そこに失敗が伴うことは必然です。いい結果を出すことだけを求め続けると、やがてリスクを取ることをしなくなってしまいます。実験を繰り返し、そのなかで失敗があっても、そこには必ず学びがある。それらを活かして、自動化を積極的に進めよう。失敗は前に進むための糧として、より多くの経験と成果物を積んでいけばいい。失敗することを恐れるより、自動化

に向けた努力から逃げることのほうが失敗なのだ。そう伝えたかったのです。

やがてチームの心は動き、事業の成長に合わせたメカニズムの構築を強く意識して、自動化を積極的に推進していきました。そのなかでそれまで存在しなかった新しいツールが導入されていくようになりました。

これまで人が手掛けていた仕事を、機械がやるようになる。それは当然の流れです。そのことで、人間はよりクリエイティブな仕事を通し、まだ存在しない新しい価値をお客様に提供していくことができる。LPのThink Bigという条目は、人間の想像力や好奇心の必要性を確認できるものであり、それは、人にしかできないことなのです。

テクノロジーが人の仕事を奪うのではなく、むしろ共存していくことで、この地球上における人間の存在価値というものが、いっそう明確になってくるのではないでしょうか。

近江商人の三方よしと アマゾンジャパンの経営姿勢

書籍販売事業は、Amazonの誕生そのもので、皆さまからの多くのご意見をいただいてきた事業だといえます。その声に耳を傾けるなかで、実店舗の書店と違い、オンラインで本を販売するため、紹介する側の顔が見えないことも

課題の一つになっているのではないかという理解が当時の
アマゾンジャパンにはありました。

　出版社様との直接取引を進めるなかでも、オンラインと
いう特性をどのように説明するか、そして信頼を築いてい
けるかが重要な課題でした。

　日本には、近江商人が大切にしていた三方よしという言
葉がありますが、地球上で最もお客様を大切にする企業に
なるというAmazonのミッションとつながるものがあり
ます。業績や株価などがAmazonとしての目標なのでは
なく、お客様がすべての起点になっている**Customer
Obsession**を最も大切にする努力を続けているからです。

　アマゾンジャパンのいうお客様には、Amazonでお買い
物いただく生活者の皆さんに加え、商品を提供してくださ
る製造者様や販売業者様、地域社会そして社員も含まれて
います。
「買い手よし、売り手よし、世間よし」という日本の古く
からの商売の伝統的精神が、米国で生まれてから四半世紀
ほどしか経っていないAmazonの経営理念と結びつくと
ころがあることは非常に感慨深いものがあります。

　この精神を発揮することが、近江商人と同じく、
Amazonに対する信頼の基盤になっていくと信じて行動し
ていくことで、徐々にAmazonの姿勢や事業モデルをご
理解いただくことにつながっていったようにも思っていま
す。

最近の書籍事業における直接取引では、アマゾンジャパンから欠品率などの指標をご提供し、出版社様の営業活動の参考にしていただいています。出版社様は中小規模の会社が多くあるので、アマゾンジャパンの発注に対応いただくうえで、人的にもシステム的にも負荷は小さくないという状況がありました。

　そのため、何時に出版社様に発注したら、出荷していただける率が何パーセント増える、といった数値も把握し、発注作業を自動化したりして常に改善を心掛けています。出版社の皆さまもアマゾンジャパンのお客様であり、**Customer Obsession** の追求に終わりはないのです。

お互いに学び合い、高め合う日々

Dive DeepとDeliver Resultsの意味

　他社での経験を持つ優れた人材にAmazonに入社いただくことは、個人の力量を、Amazonでの新しい仕事で存分に発揮してもらうことが目的ですが、それだけではありません。すでにAmazonで働いている私たちが当たり前のこととして意識していなかった自社の強みを、入社した方たちによって再認識させてもらういい機会になります。

　例えば、大手外資系企業の経営幹部として活躍してきたVPは、Amazonに入社してまず、データや情報に対するアマゾニアンたちの深掘りする姿に驚いたといいます。

　他企業での経験から、経営会議で共有されるデータや情報は、業績を示すアウトプットの数値が中心で、検証する内容も売上の進捗などが主体だったそうです。

　一方、Amazonでは、アウトプットのもとになるインプットの情報を徹底的に検証することが、当然の仕事として認識されています。そして**LP**にある**Dive Deep**が示すように、インプットの情報を深く掘り下げていくことも、です。

　表層的な課題分析や業界の動向を共有するといったこと

だけでは、事業を進化させていくことはできません。分析結果を深掘りして、数値の裏にある様々な洞察や知見を突き詰めていくことが不可欠です。そのなかで明らかにされていく課題の根本的原因をメカニズムで解決するということを、ごく当たり前の仕事として捉える文化をAmazonはつくり上げてきました。このようなプロセスを必ずメカニズム化して、抜本的な課題解決をしていくということに対するこだわりは、他社で長く経験を積んできた人にとって、新鮮な驚きであり、学びのようです。私自身もいまだに学びを得ています。

　LPの最後の14条目にある**Deliver Results**も、単なる成果主義、結果主義を示しているのではないのです。その証左として、7条目の**Insist on the Highest Standards**に代表されるように、13条目まではすべて、結果よりも過程に対する指針といえるものばかりであり、「地球上で最もお客様を大切にする会社になる」という目的地に行きつくための仕事の質を重視するものばかりです。

　Amazonのリーダーには、ビジネス上の重要な知見や洞察をもとに、高い品質で迅速に実行するうえで、たとえ困難なことがあっても、立ち向かい、決して妥協しない姿勢が求められます。そうした行動の過程を重視していくことがよりよい結果を生み出すことを最後の**Deliver Results**という条目で確認しているのです。

これまでの基準では素晴らしい報告書かもしれない。しかし、そこにAmazonが求める考え方が反映されていないのであれば、何度もやり直し、最後にはメカニズムの構築にまでつなげていく。新しく加わったリーダー自身が、そうしたことにこだわりをもち、チームの一人一人もリーダーであるという意識のもとでこのような努力を続けることで、会社全体として、**Dive Deep**だけでなく、**Deliver Results**を実現していくことができるのです。

ただ、このようにして社内で構築されるメカニズムやプロセスは、一旦完成したからといって、適宜検証することなく固定化してしまうことはよくないと考えています。

常によりよい方法があるかもしれないと、自分で出した答えに次の疑問を投げかけていく。リーダーはこのことを常に意識しておく必要があり、その徹底を怠ると、優れたメカニズムもマイナスの影響を及ぼす可能性があるということも忘れてはならないと思います。

善意のフィードバックで信頼を高め合う

2000年に日本で事業をスタートしてから、ずっとアマゾンジャパンで働き続けてくれている人は少なくなりましたが、そのことは決してネガティブなことだと捉えてはいません。

一人一人が、自分なりの理想や夢を抱き、その実現のた

めにAmazonで働いて成長し、そのまま働き続けること
が自分の成長にとってよいことだと思えば、ぜひ働き続け
てほしいし、違う場でさらに自分の進化を促したいと思え
ば、Amazonを去るという選択肢もあって然りだと考えて
いるからです。

　特に直接接する機会の多いディレクターやVPの場合、
別れは個人的には辛いし寂しさを感じることもあります。
けれども、その人の人生の決断を大切にすることが一番だ
と思っています。

　アマゾニアンとして働くことに生きがいを感じ、最も長
く働いてくれている人は、紫色の社員証を使っています。
Amazonには、社歴の長い人に敬意を示すという企業文化
があり、入社1年目は青色で、6年目からは黄色というよ
うに、社歴がわかるようにしています。

　草創期からAmazonで働いている紫色の社員証を持つ
ある社員との関わりのなかで、私自身が学ばせてもらった
ことがありました。

　特定の分野における専門家として成長していくことは大
切ですが、キャリアを築くなかでマネージャーとしての立
場になった場合に、意識すべき課題があります。それは、
自分の強みに頼りすぎないということです。それまで自分
のキャリアを支えてきた強みだけでなく、自分の弱みを十
分に認識することは、マネージャーとしての成長のために

糧となると思います。しかし自分の弱みを認識すること
は、案外、難しいことでもあります。

　例えば、直感が重視される職種で専門性を高めてきた場
合、多少、論理性に弱い面があっても、それなりの結果を
出すことはできるでしょう。しかし、マネージャーとなっ
て、部下を率いていく役割を果たすことになった場合、論
理的に話を組み立てることが重要になってきます。特に、
多様な考え方や生き方を尊重する現代において、相手に理
解してもらうには、論理的なコミュニケーションが必要に
なってきます。

　そんな社員には、「直感的に考え、判断することが強み
でしたが、もう少し理論的に組み立てて説明してもらえま
すか。そうするとより多くの理解と信頼を得ることができ
ますね」といったフィードバックを私から意識的にするよ
うに努めました。

　Amazonではそうしたフィードバックを大切にしてお
り、そのことによって一人一人の成長の後押しをしていく
ことが、様々な仕事の質を高めるために重要だと考えてい
るのです。

　強みではなく弱みに関するフィードバックは、伝える側
にも伝えられる側にも、居心地のいいものではないかもし
れません。

　だから、たとえ相手に対する指摘が的確なものであって

も、単なる批判で終わってはならない。善意が大切であり、善意があってこそ、伝えるべきことが相手にも伝わるのだ。さらにいえば、どのようなタイミングで、どのような言葉で伝えるか。これらのことが、フィードバックをする際に大事だということも、この社員との関係性から学ぶことができたのです。

特定の能力が高いにもかかわらず、必要とされる別の能力を苦手としてしまうことで、自身の能力を十分に発揮できなければ、それは、その人にとっても、会社にとっても、そしてお客様にとっても、残念な損失です。だからこそ、相手に敬意を払い、善意によるアドバイスを真摯に伝えることがリーダーとしての役割だと思います。

ちなみにこの社員は、その後、周囲から信頼を高め、活躍を続けています。LPのEarn Trustを直訳すると、信頼を勝ち取るという意味になるでしょう。しかしこのプリンシプルに、私たちはもっと深い意味をもたせています。それは、相手に敬意を払う、注意深く耳を傾ける、率直に話す、間違いがあればそれを正当化せず認める、という一連の行為を共通認識するなかで、お互いの間に信頼を育んでいくということです。

リーダーたちからの学び

私がAmazonに入社する以前、P＆Gの日本法人で働いていたことは何度が触れました。P＆Gも多くの社員を抱

えるグローバル企業なのですが、人事政策に関して、Amazonと相通じる面が多くあります。例えば、メンタリングのなかで助言を受ける立場のメンティが、助言者であるメンターになってもらいたい人を自分で探して、直接お願いするプログラムなどがそうです。

　P＆G時代、私からお願いをして、メンターになってもらった方がいます。部下が主体的に行動することを支援していくサーバントリーダーシップを重視していた彼は、例えば彼自身の考えや行動に納得できない場合、彼を飛び越して、彼の上司に話してもらってかまわないということを部下に奨励することができる人でした。公平性と透明性、明快な思考と仕事に対する信条が、普段の言動にあらわれる人格者でした。

　彼から初めて強く影響を受けたのは、どうやって高いパフォーマンスを発揮する組織をつくるかということについてでしたが、色々な話をするなかで、彼は、ルールよりもプリンシプルが重要だといいました。当時の私にはとても新鮮な驚きでした。彼のこの言葉は、それまで私の意識のなかに埋もれていた何かを強く喚起させてくれたように思います。

　私には、上下の壁がない世界をつくりたい、そういう組織をつくりたいという強い想いがあります。これは、縦社会のなかで統制をはかるためのルールよりも、プリンシプルが行動の指針となっている組織が重要だという彼の教え

を自分のものとして考え、行動してきたなかで自然に湧き出てきたものです。

　もう一つ彼の言葉のなかでよく覚えているのは、Do the hard rightというものです。正しいことをやりなさいと常に強調するリーダーでした。どれだけ難しくても正しいことをやる、というその信念は、Amazonにおいても常に私のプリンシプルとなっています。

多様な視点からの学び

　ある日のこと、社員の昇進を検討する会議でのことです。

　自分のもとで活躍して貢献してくれている部下を推薦するため、部下を大切にする上司ほど、どうしても美辞麗句を並べてしまうものです。そのような気配が見えたときには、「もっと本当のことが知りたい」と発言し、異なる角度からの評価や事実を共有してもらうようにしています。

　それからもう一つあります。推薦する理由だけではなく、推薦から外した場合の理由も聞くようにしています。

　真逆からの視点を用いてみるのです。説明を受ければみんなが気づく事実なのに、異なる視点がその場で共有されず、結果として正しい判断をし損ねてしまうことがあっては、結果的には会社の損失につながるからです。

　Amazonでは、拮抗した実力をもち、成果を出した人が

昇進候補から外れることは、常にあります。多様な視点から意見を交わし、一人一人の評価について集中して議論する。人事面のことに、会社としてできるかぎり公正な判断をすることは、お互いの信頼関係を保つうえで重要ですし、**Hire and Develop the Best**につながっていくものです。

　また、アマゾンジャパンの人事評価は、業績評価だけでなく、むしろ**LP**にかなう行動をとれているかどうかに大きく左右されます。数値で表せない部分をどう評価に結びつけるのか。逆に公平性を欠くのではないか。そう思われるかもしれません。しかし、ミッションや理念を日々意識し、日常会話で**LP**を共通言語としているAmazonでは、**LP**は社員の日々の言動に息づいている存在です。

　業績の達成度をWHATと考えると、**LP**はHOW（どうやって達成したのか）になります。例えば、○○さんは、**Earn Trust**と**Insist on the Highest Standards**が高いことで、成果が出たのだという評価です。業績の達成度はあくまで結果論であり、Amazonではどうやって達成したのかという点を重視しているのです。

　LPは、評価の時だけでなく、採用の際にも最も重要視されます。面接では履歴書に書かれている事実（WHAT）ではなく、どう結果を出したのか（HOW）という質問に加え、なぜそうしたのか（WHY）を聞くことで、その人のなかに根づく**LP**という存在がより鮮明になっていきま

す。

　結果だけでなく、どうやったのか、そしてさらには、なぜそう思ったのか、なぜそう感じたのかといった点を重視して話を聞くのです。そのことで**LP**を通し、相手をより本質的に理解することができます。

　HOWとWHYが、WHATという結果を生み出す原動力になるとすれば、評価や面接の際に、**LP**に視点を向けることが私たちにとって必然となります。Amazonでは、成果主義ではなくプリンシプルが重要だとされる理由がここにあります。

　人事に公平性を保つことに貢献できるよう、日々新鮮な目で、まさに**Day 1**の精神で、社内外の人材をしっかりと見つめていきたいと思います。

お互いを尊重し合い、Diversity, Equity and Inclusionを推進する

　2017年、ベゾスは、人権団体ヒューマン・ライツ・キャンペーンのEquality（平等）賞を受賞しています。LGBTQコミュニティへの長年にわたるサポートが評価されたためです。1996年当時から、よりオープンな職場の構築に情熱を注いでおり、地元ワシントン州における同性結婚の合法化を早い時期から支援してきました。

　Amazonには、多様性を受け入れ差別のない職場環境を推進しているGlamazonという組織があります。LGBTQ

をはじめとするセクシャルマイノリティとその支持者から構成されています。他にもアマゾニアンが自発的に運営している様々なコミュニティが世界中にあります。女性社員、子育て中の社員、障がいのある社員などがつながりDiversity, Equity and Inclusion（D,E & I）を重視したカルチャーを醸成しています。

　DiversityとInclusionからもたらされる平等は、現在もAmazonのコアバリューの一つであり、今後もそれは変わることがないでしょう。アマゾンジャパンでも、このような姿勢をリーダーの一人一人が実践してくれることに感謝していますし、そのアプローチにはさまざまな形や考え方があっていいと思います。

　Amazonでは、例えば国籍による多様性のために海外の人を積極的に採用するという考え方はありません。個々人の考え方や得意分野における多様性を意識して組織をつくっています。

　アマゾンジャパンの社員は50の国や地域の人たちから構成されていますが、あくまで結果であり、目的ではないのです。リーダーのなかには、自分と似た人を採用しないことを条件にしている人もいます。そうすることで、自然に性別や、国籍などが多様な組織になっていきます。人はみな、得意なところが違うのです。考え方も違うのです。そのリーダーは、配下のマネージャーたちにも、自分自身が心地よいと感じる自分と似た人はできるかぎり採用しな

いようにとお願いしているそうです。

　そのようにして形成された組織では、多様性が尊重され、上下関係にとらわれず、異なる意見を自由に発言し、議論ができる雰囲気が醸成されていきます。

　また、社員同士がお互いを尊重し、協力していくためには、設備やビジネスツールが充実した環境が大切です。Amazonはフルフレックスで、一定の職種を除けば就労時間も自由に設定できます。在宅勤務も基本自由に選択できます。自宅で効率よく仕事ができる環境を整えていること、いつどこからでも各国のアマゾニアンとつながりオンライン会議に参加できること、必要な情報にアクセスできることなど役職や職歴に関係なく、同じ体制を敷いています。

　例えば、子育てをしている人は、子供を寝かしつけたあとに仕事をしたいときもあるでしょう。親の介護に時間を割く、不意の事故や体調不良など、一時的な課題に直面することもあるでしょう。そうした多様な社員のニーズをふまえると、会社で働いた時間で評価するのではなく、何をどうやったかに対して評価することが必要になります。仕事の成果を見える化して、そのことに対して正当な評価をするのは当然のことだと思います。

　Amazonで、多様な社員が共に働き、個々の働き方にも多様な選択肢があることは、D,E ＆ Iを促進していくこと

に貢献しているといえますが、同時に、選択の自由には日々の仕事を自分自身で管理していくという責任を伴うことになります。それは、**LP**の条目にあり、アマゾニアンすべてに求められる姿勢といえる**Ownership**につながるものなのです。

進化・成長のなかで、変えてはならないこと

未曽有の経験から生まれたもの

2011年3月11日の午後2時46分に、東日本大震災は発生しました。まだアマゾンジャパンの本社が渋谷にあった時期でした。

私はその日、子供が通う学校のPTAの集会に出ていました。会社にタクシーで戻り、支払いを済ませ、降りたそのときのことでした。震動が始まった時に、ちょうど領収書をもらったので、今でもその時刻を忘れることができないのです。

地面の大きな揺れで、ただごとではないことがすぐにわかりました。まずは自社の社員の安全の確保に集中し、それからAmazon.co.jpのサイト上でお客様に何をどう伝えるべきか、その対応に追われることになりました。米国本社の創業者ベゾスから、「何か手伝えることはないですか？」というメールが届いていることに気づいたのは夜になってからでした。

アマゾンジャパンにとって、そして私にとって未曽有の経験のなかで、いつも以上に慌ただしく、毎日が過ぎてい

きました。日本中が混乱するなかで、避難所に物が届かないということが、各種報道に出ていました。

　マネジメントメンバーは毎日集まり、自宅にいても電話などで、今後の対策についての意見を交わしていました。当時はまだ規模も小さな会社でしたから、積極的な対応をすると、被災に乗じた便乗商売として誤解される可能性があるのでは、という懸念もありました。米国本社自体も若い会社です。これほどの大災害への対応を経験した前例があるわけでなく、私たちは自分たちの知恵に頼るほかありませんでした。３月中は悶々とした状態が続きました。

　この災害に、アマゾンジャパンにできることは何か。経験がないなりに考えをめぐらすなかで、当時のマネジメントメンバーが、Amazon独自のサービスである**ほしい物リスト**が支援に活用できる可能性に気づきました。**ほしい物リスト**の機能を使って、被災地の支援ができないかというアイディアが出てきたのです。

　それでも、この対応の担当をすることになったディレクターは、何から始めたらいいか、ともかく手探り状態でした。岩手、宮城、福島の県庁に電話で確認をしてみると、被災者の方々の避難所は県の所管でなく、市町村だということがはじめてわかりました。しかも、小さな町や村には災害担当の方が１人か２人しかいない状態で、その方々も必死で支援活動を続けておられ、連絡がつきにくい。です

から、現地の生きた情報がどうしてもつかめない状態が続いたのです。

そうしたなかで、ツイッターで得た情報から、陸前高田の消防団と連絡がとれ、「みんな風呂に入ってないから、とにかく風呂に入りたい、風呂を作るための材料や工具、大きな浴槽などがあれば送ってほしい」といった要望を電話で伝えていただきました。

こうした緊急時に、Amazonの**ほしい物リスト**の活用方法を説明していても緊急時の対応として意味をなしません。そこで担当者は、聞いた情報をもとに、ほしい物リストを代行して作成し、すぐに始動しました。災害時に組織として、被災地の皆さんが必要としているものを把握し、迅速に動くこと、このような行動をとれるためには平時の心構えと体制が重要だとこの時ほど感じたことはありませんでした。

時を同じくして、私の友人からも**ほしい物リスト**で支援できるんじゃない、という提案がツイッターを通して入ってきました。私は早速、自分のツイッターで、「陸前高田の『ほしい物リスト』第1号ができました」とつぶやいたのです。すると、色々な人たちが好意的に受け止めてくれたようで、被災された各地の自治体から直接、さまざまな情報が入ってくるようになりました。あわせてほしい物リストはどう使えばいいのかという質問もいただくようになりました。

176

　この時、東北のためにつくったほしい物リストは今もあ
りますが、全部で7千カ所くらいのリストができ、10万
個ほどの商品をお届けするにいたりました。

　こうした経験はアマゾンジャパンで働く次代のリーダー
にしっかりと受け継いでいく責務が私にはあると思ってい
ます。
　長年、日本で小売業を営まれている企業は、東日本大震
災の前に、阪神・淡路大震災という悲惨な災害も経験され
ています。その時期の経験を活かされた企業も多かったは
ずです。それぞれが、できることを迅速に実行されていた
ように思います。そのような日本人と日本企業の素晴らし
いところに、私たちは学んでいきたいと思います。
　そのうえで、アマゾンジャパンだからできる、アマゾン
ジャパンならではの震災地支援をしていきたい。また平時
においても、例えば動物保護のような身近な社会的課題に
対して、**ほしい物リスト**をお役立ていただいています。支
援対象になっている保護施設はまだ限られていますが、新
しい飼い主を待ちながら、施設で過ごしている犬や猫にと
っての必要物資をAmazon.co.jpを通じて届けることが可
能なプログラムになっています。アマゾンジャパンならで
はの支援の仕方を今後も生み出していきたいと思っていま
す。

Customer ObsessionとBias for Action

　カスタマーサティスファクション（顧客満足度、ＣＳ）は、耳慣れたビジネス用語ですが、Amazonではあまり使うことがありません。アマゾニアンが大事にするのはCustomer Obsessionです。

　まず、Customer Obsessionは自らの行動や姿勢を示すものであり、顧客満足度はその結果であるといえます。お客様が完ぺきに満足されることはない、お客様には解決されていない課題が常に残されている。その意味でCustomer Obsessionは無限に続くものですし、常にLPの最初に掲げられるプリンシプルです。

　さまざまな部門長が集まる会議で、あるチームが、キャンペーンの成果について報告をしたときのことです。そのキャンペーンは売上も伸びて、よい成果を得られたという内容でした。2000円分の商品をお買い上げいただくと、もれなくアイスクリームが１個つくというものでした。チームのみんなが盛り上がった点の一つが、アイスクリームを複数欲しいというお客様がいて、それが売上アップにつながったということでした。

　私も含めみんなで成果を嬉しく思う反面、私には、ご購入までのカスタマーエクスペリエンスにおいて、お客様にムダな作業をさせてしまったのではないかという思いが浮

かんできたのです。まとめた注文をしたいお客様がいる。そうした方々が、最小限のクリック数で購入できるようなキャンペーンにすることもできたのではないかという疑問が湧いてきたのです。

　具体的にいうと、家族4人のために特典のアイスクリームを4つ欲しいと思ったお客様は、4回もクリックして注文するのではなく、例えば1回にすることはできなかったのか。そこまでお客様の利便性を高めることを考え抜いただろうか。

　キャンペーンの結果に満足するのではなく、このようにお客様にとって最高のショッピング体験を追求し続ける姿勢こそが、本来の**Customer Obsession**なのです。

　もう一つ、具体事例があります。ある時、ファシリティ部門の担当者に、「社員が社内で買える健康的な食材はありませんか？」と聞いたことがありました。まだオフィスが小さい時のことです。

　するとその担当者は、自宅近くの果物屋さんで新鮮な果物を購入して、毎日、提供してくれるようになりました。もちろん、社員は実費を支払って購入します。ファシリティ部門で働いている担当者にとって、社員がお客様であるという意識が強く、自然と**Customer Obsession**を発揮する行動をとるようになっていたのです。

　その担当者に話を聞くと、仕事で忙しいなかでも、時間

健康に配慮したアマゾンジャパンの社員食堂

を割いて、社員のために健康な食材を用意することが、本人にとっても喜びになっていたそうです。社員というお客様の健康に役立つ。しかもそれが、自分自身の喜びになっていると前向きに考えていたわけです。

　Amazonの**Customer Obsession**には、このような精神が求められるのだと思います。あるお客様の何気ない一言に、社会的なニーズを手繰り寄せる大きなヒントがあり、それに対して、できることはなにかを考えて、ともかくやってみる。**Bias for Action**です。やってみながらまた考え、さらに改善をはかっていく。そうして、お客様に真に喜ばれる商品やサービスが提供される。そういう地道な努力が必要とされる仕事なのだと思うのです。

　この担当者はその後、アマゾンジャパンの事業の拡大と

社員数の急増に伴い、さまざまな施設を増設していくなかで、ファシリティ部門の責任者となり、健康に配慮した社員向けの食堂やカフェの運営も任されることになりました。

　当初からの自発的で前向きな行動と姿勢が、素晴らしい成果を出し続けることに大いに役立ってきたことからも、これからも社員というお客様へのこだわりを追求していくことでしょう。それが、その担当者の未来のキャリアにもつながっていくわけですから、参考にすべき、素晴らしい事例だと思います。

　Customer Obsessionを実現するために、あれをやらなくてはいけない、とメッセージを発信するだけでは、このような社員の自発性を引き出していけないと思います。**Customer Obsession**という大切なプリンシプルを自分事として捉え、今できることをすべてやっていこう。さらに**LP**にある**Bias for Action**を胸に秘めてまず行動する。そしてそのこと自体を楽しめることが、アマゾニアンとしての望ましい姿だと思っています。

倹約はどこまでも続く

　社員にやりがいと喜びを感じてもらいながら、日々の仕事に取り組んでもらうようにしていくことは、社長という仕事に求められるもののなかで、大きな位置を占めていると考えています。

Amazonは、まだ若い会社です。多様性を重んじる制度のもと、年齢、性別、国籍などが採用の条件にはならないため、定年制度もありません。そのため、平均年齢も上がっていく可能性があります。

　社員のための職場環境を最良のものにしながら、成長していくなかで、倹約というAmazonのプリンシプルに基づいた行動をどのようにとっていくのか、このことを常に意識しています。

　そのような課題に直面したのは、2012年に渋谷から目黒に本社ビルを移転したときのことでした。

　Amazonを起業した頃、ベゾスは倹約のために一枚のドア板に脚をつけたものをデスクがわりにしていたという伝説があります。無駄なコストはかけない。**Frugality**、すなわち倹約の精神は、**LP**の一つでもあり、Amazonという会社のDNAになっているといっても過言ではありません。私自身、草創期からアマゾンジャパンの社長を務めるなかで、無駄なお金を使わない習慣や習性は自然に身につくことになりました。

　私は当初から、財務担当を兼ねていましたので、アマゾンジャパンの財務状況をよくしていくことに無我夢中でした。必要経費についても、どういう基準を設けるかに気を配っていました。そして、定めた基準に沿って自らが率先して行動していくことを意識していました。

都内3カ所目の拠点が入居する目黒セントラルスクエア内の受付

　増え続ける社員を収容するために、渋谷から目黒に本社を移転する際にも、ファシリティ部門から色々な候補地を提案してもらいましたが、Amazonの倹約精神に基づく基準を満たすものが、見つかるまでは承認しませんでした。

　また、2018年9月、都内3カ所目となる新拠点を開設する際にも、都内一等地の大理石で壮麗に装飾された物件を紹介されても、基準を満たさないだけでなくAmazonにはなじまないように思いました。私たちが働く場所にお金をかけるより、その資金をお客様へのサービス向上のために使ったほうがいいという思いが勝ってしまうからです。

　新拠点では、世界で3カ所目となるAWS Loft TokyoおよびAWSがお客様の革新を支援する空間AWS Digital

スタートアップやデベロッパーのための施設AWS Loft
Tokyo。AWSアカウントIDがあれば、誰でも無料で利用可能

Innovation Labを同年10月から提供しています。社内
のデザインは、社員の働き方を分析した結果や取材をもと
に、体と心の健康を目的としたものです。優れた人材を獲
得していくうえでも、社員の働き方に合った機能美と利便
性に優れた施設を、**LP**の**Frugality**にある倹約の精神が
許す範囲で創造していきたいと考えています。

　例えば、職場のレイアウトは、組織を運営するうえで非
常に重要なものです。職務やチーム間の組み合わせなど、
様々な配慮が必要です。近年、多くの企業で導入されてい
るフリーアドレス制にしても、それが向いている部門とそ
うでない部門があります。アマゾンジャパンでも、フリー
アドレス制を広く導入していますが、きめ細かい配慮のも
とに採用していきました。在席率や着席率などを調査した

結果をもとに固定席に対する考え方も変化していきました。その結果、自由に場所を選んで働くことができ、社員が遊び心を楽しめるようなフリースペースを思い切って増やし拡張するという方向で決定しました。

Amazonでは、お客様のための研究開発や設備投資には、必要なだけ、惜しみなく資金を投入し、リスクテイクもしていくという信念をもっています。ですから、Amazonの **Frugality** は、単なる節約とは異なるものなのです。短期的な利益を求めるより、長期的な思考に基づき投資を続けています。

お客様からいただいた利益を、新たなサービスの提供のために投資していくことに躊躇しない、そのような経営哲学をAmazonの企業文化として根づかせていくうえで、**Frugality** に基づく行動はどこまでも続いていきます。

現場におけるLPとDay 1

Frugality を、現場で働くアマゾニアンは、どう考えて実行に移すことができるでしょうか。

例えば、技術部門でリソースを管理しているなら、コードを綿密に書き上げ、最適化しつつ作り込む努力が必要になります。プロジェクトを管理するマネージャーは、技術的な工数がどれほどかかるのか、それに対し、適正な投資なのかといった理解と判断が求められます。

そのようにして、求められる価値を生まないリソースは使わず、賢く綿密に設計されたものをつくり上げることも、結果として **Frugality** につながるはずです。そして、サービス全般のクオリティの維持向上にもつながるでしょう。**Frugality** は単なる倹約ではなく、**Insist on the Highest Standards** や **Dive Deep** ともつながっていることがわかります。

　Amazonの技術部門のマネージャークラスの人々が、日常の業務のなかで必然的に意識するもう一つの**LP**が **Invent and Simplify** です。成長を続ける組織のリーダーの目の前には、常にイノベーションを創出し続けるため大量の案件があるものです。いかに優先順位をつけ、リソースを配分するか。そして煩雑になっている仕事を、いかにシンプルなものにしていくか。そうした仕事の基本をAmazonも大事にしているのです。

　またAmazonでは、組織名や職種名がずっと同じままということは、ありません。常に変化をし続けています。会社ですから、組織図は存在しますが、変化し続けるなかではあまり意味がないものだと考えています。

　新しいサービスの開発といった技術的進化だけでなく、お客様や社会環境の変化によって、仕事自体どんどん進化していくため、組織形態や名称が変化し続けるため、すぐに改定をしなければなりません。

　また、新しいビジネスツールが開発され、導入されていくと、それに順応できる社員もいれば、先を越す社員もいるし、そうでない社員もいます。

　しかし常に**Day 1**であることを掲げるAmazonでは、進化し続けることが当然のことであり、会社の成長に合わせて、個々が成長し続けることが大切であり、そのことが**Day 1**の姿勢を維持していることにつながっているのかもしれません。

　産休で1年ほど長期休暇を取得した人が職場に復帰すると、社内のさまざまなシステムが進化しているので、例えば会議室の予約方法すらわからなくなって、まるで浦島太郎みたいな感じになるという声も聞こえてきます。そのため、新しいツールやルールなどはわかりやすくまとめられていますし、自らが研修やガイドラインなどから学ぶ機会は、社員全員に24時間提供されています。自らが情報を取りに行く、自らが新しい能力を自分のものにする、まさに**Ownership**、そして**Learn and Be Curious**でいう前向きな好奇心が大切になってきます。

　このような変化や進化を、「厳しい、大変だ」と思うのでなく、「やりがいにあふれているじゃない」と捉えてくれる人が、アマゾニアンだといえるのです。

All Hands Meetingでの出来事

　前述した毎年開催される全社ミーティングのAll Hands Meetingは、以前はマネジメントクラスのメンバーが、運営責任者に指名される持ち回り制でした。テーマを決めて、今回はどういう出し物にするか、どんな発表内容にするのか、全体のテーマは何か、といったことを、責任者を中心にして、決めていきます。

　渋谷から目黒に移転したとき、最初の回は、隣接する目黒雅叙園で行いました。そして、そのAll Hands Meetingでは、これまでとは異なる企画に取り組んでもらうことにしました。

　その一つに、パネル展示がありました。社員に早めに会場に来てもらって、いろんなチームが自分たちの普段の活動を大きなパネルに描いて、10点ほど、会場の脇の方に展示しました。組織が大きくなるに従い、各社員が、直接関わらない仕事も多くなり、他部署のことが見えなくなってきたという課題があったからです。

　検討の末、クラブ活動やダイバーシティのための活動もパネルにしようということになりました。米国本社ですでにはじめていたこともあり、日本でもやろうという流れだったのですが、みんなが見やすいように大きいパネルが必要だと考えたようです。

　そのことについて事前に相談に来てくれたのですが、き

れいにプリントして、ラミネートを貼り、展示しようとすると、外注先の見積では、１枚あたり２〜３万円となっています。パネルを購入すれば、会社にあるＡ１サイズの印刷ができるプリンターを使い、展示物を制作できます。お客様に見せるものであれば、手作りではいけないでしょう。しかし、社内だけで使うものであれば、コストを最小限にするという意識をもっておきたいと思うのです。

　そうした倹約精神を緩めてしまうことは、**LP**から離れていくことになりかねない。そこで、自前でやることを理解してもらいました。そのように細部にわたって、全員が**Ownership**をもって仕事にあたり、考え、動いてもらうことで、Amazonの社風や文化は保たれ、ひいては **Day 1** の精神が維持されるのです。

エピローグ

ともに創る未来
次代の創造と変革を担うリーダーたちへ

グローバル社会で何を成し遂げるのか

　本書では、アマゾンジャパンの20年の歴史を振り返りつつ、Amazonの経営哲学やカルチャーを私の体験を通して語ってきました。この本の出版は、私自身の人生を動かしたさまざまな出来事を思い起こす良い機会となりました。

　その歴史を振り返るなかで、人生には自分ではどうにもならないことが間々あるということに気づかされました。運命といってもいいと思います。しかし同時に、自分の選択によって、定められているかのような運命を自らが動かしていくことができるという確信を得ることができました。

　例えば、私が香港に生まれたことも与えられた運命です。一方、カナダに渡り、カナダ国籍を得ることを決めたのは、自分の選択によるものです。そしてカナダでMBAを取得したのも、自らの意志によるものでした。その努力のおかげで、それまで香港で培ったキャリア以外の職業への道が開けることになりました。

　また、Ｐ＆Ｇというグローバル企業に入社したのも自分の選択によるところが大きいのですが、日本へ赴任することになったのはある意味、運命といえるのかもしれません。カナダでの仕事にもそれなりの充足感がありました。それでも日本へ行くという新しい挑戦を受け入れ、運命に従ったことで、結果として私のメンターのように私のキャリアや人生に影響を与えてくれたリーダーたちに出会うことができました。

　定められたものと、自分の意志で定めるものが、縦糸と横糸のように編み込まれて、それぞれの運命が創られていくのでしょう。

　今も思い出すのは、IT関係の新興企業の台頭が目立つようになった2000年頃のことで、それまでの私自身の経験を活かせそうにもないEコマースに関わる仕事を選ぶという私の決断に対する、周囲の人たちからの反対の声で、その多くは、もう遅すぎるのではないかというものでした。

　彼らの思いやりの言葉はたいへんありがたいものでしたが、私はそのときの自分の心、自分の情熱に、素直に生きることを選択しました。そして、アマゾンジャパンという会社のスタートアップで躍動した社員たちとの仕事が、私の運命を大きく動かすことになったのです。リスクにあえて挑戦する選択によって、今の人生があるのだと思ってい

ます。

　この運命というものについて、例えば、今も経営哲学において大きな影響力をもつパナソニック創業者の松下幸之助さんが興味深い考え方を示されています。人生というものは、80％なり90％くらいが運命によって決められているが、残り10％なり20％の範囲において信念を持って自分自身の道を歩めば、自分に与えられた運命をより活かすことができ、人生を光り輝くものにできるというものです。

　私もそのように、運命というものを消極的でなく、積極的に捉えたいのです。そして、自分の運命を決める**Ownership**を持つべきは自分であり、運命をよい方向に変えることができるということをこれからも実証していきたいと思っています。

　人生経験が少ない段階では、思い通りにいかないことが続いて、自分の境涯を残念に思い、他者の人生を羨ましく思うという経験をすることがあるでしょう。けれどもそこで立ち止まるのではなく、自分が望ましいと考える未来を描いてみるのです。その描いた目標に向かって、日々新しい気持ち、すなわち**Day 1**で行動していくのです。

　その過程で、尊敬すべき人や魅力ある人たちに出会い、いい機会を得ることができたら、そのことに感謝をしつつ、それまでの自分の努力に対するご褒美として受け止め

る。そうしていくうちに、仕事や人生は実りあるものになっていくのだと思います。

自分の強みを見つけて、発揮してこそ、道は開ける

　1章の「Day 1であるための私の仕事法」で述べたように、私はどんな場合においても、今に集中することをとても大切にしています。

　この今に集中するということは、自分と周囲の関係性を、しっかりと認識すること、自分の立ち位置を知ることでもあります。その認識がうまくできると、自分が今何をするべきなのかがはっきりと見えてくる。そこでの動き方によって、周囲の人々との関係性は良くも悪くもなるのだと思うのです。

　なすべきことから、人間は逃げることもできるし、無視することもできる。あえて違うことに取り組むこともできます。でも、私はその瞬間瞬間に、自分がなすべきことに全力を傾け、集中することを重視しました。

　今の自分に何ができるのか。何によってこの組織に貢献できるのか。何をやらなければならないのか。そうしたことを強く意識して、行動するように心掛けてきました。このことは、これからキャリアを積もうとしている世代の方々には特に重視してほしいと願うことでもあります。

企業の草創期には、仕事をどんどん創っていく攻めに長けた人が必要ですが、守りに強い人も必要です。社員それぞれが何に強いのかは、みんなが真剣に仕事に向かっているなかで自然と見えてきます。

　私の場合は、ファイナンスが主担当で、その仕事は当然私の強みでしたが、それ以外に、社長として何をやるべきかを繰り返し考えたとき、お客様に提供する新しいサービスのすべてに最終責任をもつことが必要だと考えました。

　そのうえで私が特に意識したのは、リーダーとして、自分の真剣さを周囲に見せ続けるということでした。

　ＩＴや事業部門の専門的な知識とノウハウを要する仕事では部下のほうが上かもしれない。でも、このアマゾンジャパンの立ち上げを成功させるための真剣さでは誰にも負けるつもりはない。そうでなければ、この事業自体が、日本の基準の厳しいお客様に受け入れていただけるわけがない。ひいては成長することなどできない。そうした思いを、全社員に常に意識してもらうことが組織に重要だと信じています。まさに私にとっての**Customer Obsession**です。

　そのように自分の強みを発揮し、あわせて、会社の規模と同様に私自身も大きく成長していく必要性を強く意識するなかで、特技も生まれました。新規事業の立ち上げ前に、Quality Assurance（品質保証）専門の責任者でもなかなか気づかないような落とし穴を指摘できるようになっ

ていたのです。**Dive Deep**が結果に結びつくようになったのです。

　ＱＡとは、コードや新しい機能を開発するときに、バグや間違いがないか、お客様が使うときに、エラーが出ないかといったことを専門の担当者が試験し確かめるプロセスのことを指します。そのプロセスをきちんと通過して品質を担保しないと次に進めない、つまりお客様への提供ができないのです。

　例えば、サイトにアクセスされているお客様の動きを想定して、実際の行動を様々なパターンでテストするのですが、それでも漏れてしまうようなケースを見つけることがあります。

　ただ、QAの仕事には当時の私の日本語能力のレベルが十分ではなく、この領域で経験のあるディレクターを採用して充実させていくようにしました。その頃から、当時のアマゾンジャパンに必要とされる人材の採用に多くの情熱を注ぐようにしていきました。

　この立ち上げの時期に抱いた情熱を絶やすことなど考えたこともありません。毎日が**Day 1**でありたいと願い、高みを目指し続けています。

　東洋の言葉に、「日々是新」というものがあります。**Day 1**と親和性のある言葉です。古くから日本の経営者が座右の銘にしていたようで、第４代経団連会長の土光敏夫さん（故人）も大事にしていた言葉だそうです。古代中国

の殷の名君・湯王が、日々の洗面の際に自戒するために書いて見つめていたというその言葉が起源だといわれています。**Day 1**であり続けることは、そうした過去の偉人たちが到達した地点と、同じ地平に立って、考え、行動することを可能にしてくれる法則といえるのかもしれません。

自分らしさをどこまで表現できるか

　経営を続けていると、知識を豊富に持っている人が能力のある人だとは一概にいえないことも、知識のない人が必ずしも能力のない人でもない、ということがわかってきます。

　例えば、MBAそのものに価値はないというわけではありませんが、そこで得た知識が、その人の考え方や行動を通して社会に還元されていくことで、はじめて価値が生まれるのだと思うのです。

　私は、大学の専攻がエンジニアリングでしたから、ビジネスのさまざまな分野で、自分のスキルが足りないことは明確にわかっていました。経営の基礎となる財務、金融、人事などに関する知識を補うために、MBAで得たものは大事な財産として今も日々活かされています。

　アマゾンジャパンの社員にもMBAホルダーはたくさんいます。しかしながらその財産をどう使うかは、その人次第だと思います。自分を成長させてくれるさまざまな要素が、世の中のいたるところに無限に存在しています。それ

らを活かし、自分の強みにしていけるかどうかで、その人の運命は大きく左右される。このことをできるだけ早く意識することが大切だと思うのです。

　これまで日本で多くの素晴らしい方々にお会いしてきましたが、なかには、自分の考えを自分の言葉で表現することに躊躇する姿を見かけることがありました。今後、ますますグローバル化が進み、多様性をより重視する社会になっていく現在、企業や社会の発展において、自己表現力は、ますます重要になってくるにちがいありません。

　それは、自己主張とは異なります。自分というものを素直にありのままに出す。言うべきことをきちんと言う。自分が今居る場所、そこで自分が求められることに対峙し、把握したうえで、行動に移す。周囲から理解を得るために必要なこれらの能力を身につけることで、リーダーとして、また組織としての力を発揮する機会が生まれます。

　会議などで議論を苦手とする人たちに出会うたびに、その人の本領が発揮できない環境に自らをもっていっていることを残念に思うことがあります。なぜならば、周囲に対する自分の立ち位置が明確にならないからです。また、個人の感情が先立ち、同じチームの人間であるにもかかわらず、勝ち負けを決めようとする意識が先立ってしまうケースもあり、場合によっては、感情的な対立になってしまう場合もあります。

自由に発言するという、その過程こそが大事なのであり、建設的な議論から生まれる結果には大きな価値があります。自分が属するチームや組織のなかで、正しい真実を見出すために、議論を通して、協力し合う姿勢が醸成されていくことが重要です。そこには誠実さや相手に対するリスペクトが、そして先述したDiversity, Equity and Inclusionのようなことの大切さに気づくことが必要とされます。そしてこのような職場における能力は、自分の信念や考え方をしっかり持っておかないと、十分に発揮することができないものだといえます。**LP**の**Have Backbone; Disagree and Commit**に示されている通りです。

　総じていえば、自らの人間力を育てていってこそ、自己表現力も活きてくるはずですから、**LP**の**Learn and Be Curious**にあるように、謙虚に学び続けることを日々実践していきたいものです。

人間力が試される時代だからこそ

　Amazonは、日本を世界中で最も重要な国の一つとしています。また、米国やヨーロッパと比べて、成長の可能性が高いとも考えています。それは、人口やGDP、またデジタル化の度合などをふまえてのものです。

　これからもイノベーションやテクノロジーに積極的に投資をしていきますし、日本の経済成長に対して、アマゾン

ジャパンがどのように貢献できるかという点に関する可能性も無限にあると考えています。

　日本の消費者についていえば、品質へのこだわりが厳しいことはグローバル的に見て間違いないことです。しかしながら、テクノロジーを受け入れる態勢が先進国と比較して遅れをとっているように見受けられます。このことは、これからの日本にとってむしろ大きなチャンスであると思います。

　政府機関や医療、教育、農業、物流などのあらゆる分野で、デジタル化の波が起き始めています。これからの変化が楽しみであり、クラウドコンピューティングや物流、ロボティックス、機械学習などのAmazonの強みを活かして日本で貢献していける領域も多くあるように思います。

　また、間接部門の生産性はよく議論される問題ですが、アマゾンジャパンではその生産性を上げるために常に改善を行っています。そうした間接部門の改善活動も、評価の対象にする企業文化があるからかもしれません。

　例えば、紙でやりとりをしているようなことを、デジタル化することでもっと簡単に処理ができないか。今まではある部署にすべて相談して審査を受けないと進めることができなかったような案件を、プロセスを標準化することで、現場に判断する権限を与え、迅速に処理できるようにするといったようにです。

間接部門では、目標とする基準を毎年上げていき、その年の成果と次なる目標を自分事にすることを要望しています。地道な活動なので、普段は誰から褒められるわけでもないのですが、それでも、来年は何をやる、再来年は何をやると目標値を上げて、自らに要求していきます。そんな志や目標の高い人たちが力を合わせ、結果を出していくことは、会社にとっても望ましいことだと思います。

　日本では今、高齢化、少子化、老後の不安といった課題があり、課題先進国といわれることもありますが、私にとっての日本は、むしろ課題解決先進国であり、世界でリーダーシップを示していける力がある国だと思うのです。
　そしてそうした社会的課題の解決に向けて、共生の関係を創り上げていくところに、Amazonが日本で存在する意義を求めたいのです。Amazonが、これからの未来を創る人々の成長のお手伝いをしていきたいのです。
　その関係性の維持・発展にあたって、例えば「価格」の問題は常に重要視すべきものです。
　サブスクリプションのAmazoプライムのような、今も質を向上させ続けているAmazonならではのサービスに関しては、それに見合う会費設定へと引き上げることも実施しました。それも、アマゾンジャパンにとっては一つの挑戦でした。
　このタイミングにお客様が離れていく可能性がないわけ

ではない。それでも、価格よりサービスの充実をはかることをお客様が求めているのであれば、共生の道から何ら逸れるものではないという認識があっての選択でした。

　また流通面でも、省エネルギー法などでいわれるまでもなく、荷主側であるアマゾンジャパンには共生の関係づくりが求められています。お届けするお客様までの物流にも気を配り続けるだけでなく、他企業との相利共生が、結果としてお客様や自然環境に、よりよい社会環境をつくっていくことになります。

　例えばトラックで運送する場合、行きだけでなく、帰りも他の荷物を載せて効率よくすることは当然のことになっています。積載率を考えて効率性を高めることが、省エネルギーにつながり、地球環境に貢献するということがあるからです。

　その課題に取り組む社会的責任がアマゾンジャパンにはあります。再配達率を下げるために、**置き配**や**Amazon Hubロッカー**などの新しい技術とサービスを開発・提供しています。**置き配**は他社も取り組むサービスですが、Amazonは**Customer Obsession**を追求することで、お客様の選択肢を多様化させ、結果的に他社との差別化をはかることもできています。

　また、地球環境に関わる問題でいえば、包装廃棄物を減らしていく努力も求められています。Amazonはフラストレーションフリーパッケージ（リサイクル可能な素材を用

い、簡単に開封できるよう設計されたパッケージ）など引き続き炭素ゼロ社会を目指し、さまざまなイノベーションに取り組んでいます。

さらに、世界各地域で、プライバシー保護法や独占禁止法などの様々な議論が政府を中心に行われています。Amazonとしても、お客様の安心・安全を守るという目的は同じであり、各国の監督省庁との対話を通し、相互理解を深め、生活者の皆さんにとって価値ある取り組みを推進することに協力していきたいと考えています。社会にとって正しいといえる選択をしていく組織の倫理観が求められる時代に生きていることをAmazonは強く認識しています。

最後に
―ともに生き、ともに成長し続けるために私たちができること

これまでAmazonが先駆けて手掛けてきたサービスや商品は、**カスタマーレビュー**、**1 -Click注文**、**Amazon プライム**、**AWS**、**Kindle ダイレクト・パブリッシング**、**Kindle**、**Fireタブレット**、**Fire TV**、**Amazon Echo**、**Amazonアレクサ**など多数に上ります。

どれもが**Customer Obsession**を追求するなかで生まれたものですが、例えば特許の期限が切れた**1 -Click注文**は、他社もますます導入を試みることになると思われます。しかしそのような状況により、さらに各社のサービス

における利便性が高まっていくことも、Amazonの目指している社会のあるべき姿なのです。

　そしてそうした私たちの努力があって、2020年には、日本のAmazon.co.jpにおける売上は、日本円で2兆円を超える規模に達するようになり、同年、米国のAmazon.comは、米国のある調査で、最も入社したい会社に選ばれました。そして日本国内のある調査では、アマゾンジャパンも首位の評価をいただくまでになりました。

　また、アマゾンジャパンでは、中小企業インパクトレポートを毎年発表していますが、2020年に、Amazon.co.jpでFBAを利用する日本の中小規模の販売事業者の方々が7万社以上になることを報告することができました。2020年には、初めてAmazon.co.jpでの年間売上高（税込）が1,000万円を超えた中小規模の販売事業者数が3,000社以上となり、また、その中で年間売上高（税込）が1億円を超えた中小規模の販売事業者数は500社以上となりました。

　こうした結果に満足してしまうことはありませんが、素直に喜び、お客様に感謝し、今後、より高い目標に向け謙虚に歩み続けたい、そう思います。

　日常生活のなかでも、Amazonのことが多くの方々に受け入れられていることを直接見聞きすることがありますが、私にとって、明日への励みにもなっています。先日も

息子とレストランでランチをとっていると、隣でAmazonのことを話しはじめた若者がいました。盗み聞きをしたわけではないのですが、良い部分も悪い部分も率直な声を聞けるのは本当に感動する出来事です。

ベゾスが毎年、送っている株主への書簡で述べているように、Amazonは、世界のカスタマーエクスペリエンスの基準を引き上げたという自負があります。しかしながら、私たちの事業が大きくなるにつれ、お客様が無限に広がり、ひいては社会的責任を強く求める声も高まってくることを、アマゾンジャパンとしても実感する毎日です。

そうしたなかで、これからの企業経営において、共生・共創という姿勢がますます重要性を帯びてくると考えています。LPの**Dive Deep**を強みの一つとして経営に活かしてきましたが、**Think Big**をもっと引き出して、お客様から地域社会ひいては地球環境など、Amazonが貢献すべき領域により力を注いでいくよう軸足を移しているところです。

その一つに、**Amazon Pay**というサービスがあります。Amazonで日頃ショッピングをしているお客様が、Amazon以外のサイトでショッピングする場合も、Amazonのアカウントと、アカウントに登録した各情報を使うことができたら、お客様の利便性が向上するのではないか。

お客様にとって、ユーザーIDやパスワードをいくつも

管理することが困難なのは誰もが気づいていたことです。また、情報漏えいの心配から、個人情報の入力、とりわけクレジットカード情報の入力に躊躇されて、お買い物を断念するケースがあることにも私たちは気づいていました。

　お客様を起点とする発想から生まれたこのサービスを導入してくれるECサイトは急速に増えています。Eコマースの事業者であるAmazonと、他の同業者たちとの共生の関係が成立することにも価値がありますが、お客様に安心してお買い物を楽しんでいただけることがやはり一番の価値だと考えています。

　このサービスでの共生を維持しながら成長を遂げていくには、世界水準の情報セキュリティを確保し維持する責務がアマゾンジャパンに発生するのはいうまでもありません。これからの時代を生きるうえで、自らに厳しい基準を課していくことはもはや不可欠です。

　以上のようなビジネスに基づく社会への貢献を前提としつつ、寄付活動や教育プログラムなどを通して、地域社会との共存にも取り組み始めています。例えば、Amazon Future Engineerでは、未来を創る子供たちのコンピュータ技術修学を支援しています。プログラミングやロボティックスなど、通常の学校教育ではまた機会が限られている学習を補完しつつ、将来必要とされる経験を小学生から高校生を対象に提供しています。

またAmazon独自のテクノロジーを駆使した活動としては、先述の**ほしい物リスト**を使った活動があります。災害時、被災地に、必要な物資を、必要な数量、必要な時に、必要な場所にお届けする機能で、すでに地方自治体と連携して活用いただいています。**ほしい物リスト**を使って、お客様が直接、ペットシェルターやひとり親世帯の支援ができるプログラムも運営しています。Amazonのテクノロジーによって、このように個と個が心で直接つながる助け合いの場をつくる役割を担い、その輪をもっと広げていくことができたらと願っています。

　私たちアマゾンジャパンを育ててくれた日本社会に、今後どのようなお返しができるのか——。

　アマゾンジャパンでともに働くすべてのリーダーが、一過性のものにならない長期的視野に基づく様々なアイディアを出し合いながら、今できることに取り組んでいくことを読者の皆さんにお約束して、本書を締めくくりたいと思います。

2016年ジェフ・ベゾスの「株主への書簡」全文

　Amazon創業者のジェフ・ベゾスが毎年、株主へ向けた書簡でメッセージを発信していること、そして2016年には、Day 1について説明していることを本文で触れました。その書簡のなかで、ベゾスは**Day 1**の状態を維持し、Day 2に陥らないための4つの方法を挙げました。それは、〈1〉真の**Customer Obsession**を目指す、〈2〉Proxies（「実体を隠す手段」といった意味合いでご理解ください）に抗う、〈3〉外部トレンドを受け入れていく、そして〈4〉迅速な意思決定です。

　最後は、お客様と株主の方々、社員への感謝の言葉で締めくくられるこの全文に、2021年2月にCEO退任を発表、取締役会長となるベゾスの真意が込められていますので、あえて原文のまま、以下に掲載させてもらいます。

2016 Letter to Shareholders

"Jeff, what does Day 2 look like?"

That's a question I just got at our most recent all-hands meeting. I've been reminding people that it's Day 1 for a couple of decades. I work in an Amazon building named Day 1, and when I moved buildings, I took the name with me. I spend time thinking about this topic.

"Day 2 is stasis. Followed by irrelevance. Followed by excruciating, painful decline. Followed by death. And that is why it is always Day 1."

To be sure, this kind of decline would happen in extreme slow motion. An established company might harvest Day 2 for decades, but the final result would still come.

I'm interested in the question, how do you fend off Day 2? What are the techniques and tactics? How do you keep the vitality of Day 1, even inside a large organization?

Such a question can't have a simple answer. There will be many elements, multiple paths, and many traps. I don't know the whole answer, but I may know bits of it. Here's a starter pack of essentials for Day 1 defense: customer obsession, a skeptical view of proxies, the eager adoption of external trends, and high-velocity decision making.

True Customer Obsession

There are many ways to center a business. You can be competitor focused, you can be product focused, you can be technology focused, you can be business model focused, and there are more. But in my view, obsessive customer focus is by far the most protective of Day 1 vitality.

Why? There are many advantages to a customer-centric approach, but here's the big one: customers are always beautifully, wonderfully dissatisfied, even when they report being happy and business is great. Even when they don't yet know it, customers want something better, and your desire to delight customers will drive you to invent on their behalf. No customer ever asked Amazon to create the Prime membership program, but it sure turns out they wanted it, and I could give you many such examples.

Staying in Day 1 requires you to experiment patiently, accept failures, plant seeds, protect saplings, and double down when you see customer delight. A customer-obsessed culture best creates the conditions where all of that can happen.

Resist Proxies

As companies get larger and more complex, there's a tendency to manage to proxies. This comes in many shapes and sizes, and it's dangerous, subtle, and very Day 2.

A common example is process as proxy. Good process serves you so you can serve customers. But if you're not watchful, the process can become the thing. This can happen very easily in large organizations. The process becomes the proxy for the result you want. You stop looking at outcomes and just make sure you're doing the process right. Gulp. It's not that rare to hear a junior leader defend a bad outcome with something like, "Well, we followed the process." A more experienced leader will use it as an opportunity to investigate and improve the process. The process is not the thing. It's always worth asking, do we own the process or does the process own us? In a Day 2 company, you might find it's the second.

Another example: market research and customer surveys can become proxies for customers – something that's especially dangerous when you're inventing and designing products. "Fifty-five percent of beta testers report being satisfied with this feature. That is up from 47% in the first survey." That's hard to interpret and could unintentionally mislead.

Good inventors and designers deeply understand their customer. They spend tremendous energy developing that intuition. They study and understand many anecdotes rather than only the averages you'll find on surveys. They live with the design.

I'm not against beta testing or surveys. But you, the product or service owner, must understand the customer, have a vision, and love the offering. Then, beta testing and research can help you find your blind spots. A remarkable customer experience starts with heart, intuition, curiosity, play, guts, taste. You won't find any of it in a survey.

Embrace External Trends
The outside world can push you into Day 2 if you won't or can't embrace powerful trends quickly. If you fight them,

you're probably fighting the future. Embrace them and you have a tailwind.

These big trends are not that hard to spot (they get talked and written about a lot), but they can be strangely hard for large organizations to embrace. We're in the middle of an obvious one right now: machine learning and artificial intelligence.

Over the past decades computers have broadly automated tasks that programmers could describe with clear rules and algorithms. Modern machine learning techniques now allow us to do the same for tasks where describing the precise rules is much harder.

At Amazon, we've been engaged in the practical application of machine learning for many years now. Some of this work is highly visible: our autonomous Prime Air delivery drones; the Amazon Go convenience store that uses machine vision to eliminate checkout lines; and Alexa, 1 our cloud-based AI assistant. (We still struggle to keep Echo in stock, despite our best efforts. A high-quality problem, but a problem. We're working on it.)

But much of what we do with machine learning happens beneath the surface. Machine learning drives our algorithms for demand forecasting, product search ranking, product and deals recommendations, merchandising placements, fraud detection, translations, and much more. Though less visible, much of the impact of machine learning will be of this type – quietly but meaningfully improving core operations.

Inside AWS, we're excited to lower the costs and barriers to machine learning and AI so organizations of all sizes can take advantage of these advanced techniques.

Using our pre-packaged versions of popular deep learning frameworks running on P2 compute instances (optimized for this workload), customers are already developing powerful systems ranging everywhere from early disease detection to increasing crop yields. And we've also made Amazon's higher level services available in a convenient form. Amazon Lex (what's inside Alexa), Amazon Polly, and Amazon Rekognition remove the heavy lifting from natural language understanding, speech generation, and image analysis. They can be accessed with simple API calls – no machine learning expertise required. Watch this space. Much more to come.

High-Velocity Decision Making
Day 2 companies make high-quality decisions, but they make high-quality decisions slowly. To keep the energy and dynamism of Day 1, you have to somehow make high-quality, high-velocity decisions. Easy for start-ups and very challenging for large organizations. The senior team at Amazon is determined to keep our decision-making velocity high. Speed matters in business – plus a high-velocity decision making environment is more fun too. We don't know all the answers, but here are some thoughts.

First, never use a one-size-fits-all decision-making process. Many decisions are reversible, two-way doors. Those decisions can use a light-weight process. For those, so what if you're wrong? I wrote about this in more detail in last year's letter.

Second, most decisions should probably be made with somewhere around 70% of the information you wish you had. If you wait for 90%, in most cases, you're probably being slow. Plus, either way, you need to be good at quickly recognizing and correcting bad decisions. If you're good at course correcting, being wrong may be less costly than you think, whereas being slow is going to be expensive for sure.

Third, use the phrase "disagree and commit." This phrase will save a lot of time. If you have conviction on a particular direction even though there's no consensus, it's helpful to say, "Look, I know we disagree on this but will you gamble with me on it? Disagree and commit?" By the time you're at this point, no one can know the answer for sure, and you'll probably get a quick yes.

This isn't one way. If you're the boss, you should do this too. I disagree and commit all the time. We recently greenlit a particular Amazon Studios original. I told the team my view: debatable whether it would be interesting enough, complicated to produce, the business terms aren't that good, and we have lots of other opportunities. They had a completely different opinion and wanted to go ahead. I wrote back right away with "I disagree and commit and hope it becomes the most watched thing we've ever made." Consider how much slower this decision cycle would have been if the team had actually had to convince me rather than simply get my commitment.

Note what this example is not: it's not me thinking to myself "well, these guys are wrong and missing the point, but this isn't worth me chasing." It's a genuine disagreement of opinion, a candid expression of my view, a chance for the team to weigh my view, and a quick, sincere commitment to go their way. And given that this team has already brought home 11 Emmys, 6 Golden Globes, and 3 Oscars, I'm just glad they let me in the room at all!

Fourth, recognize true misalignment issues early and escalate them immediately. Sometimes teams have different objectives and fundamentally different views. They are not aligned. No amount of discussion, no number of meetings will resolve that deep misalignment. Without escalation, the default dispute resolution mechanism for this scenario is exhaustion. Whoever has more stamina carries the decision.

I've seen many examples of sincere misalignment at Amazon over the years. When we decided to invite third party sellers to compete directly against us on our own product detail pages – that was a big one. Many smart, well-intentioned Amazonians were simply not at all aligned with the direction. The big decision set up hundreds of smaller decisions, many of which needed to be escalated to the senior team.

"You've worn me down" is an awful decision-making process. It's slow and de-energizing. Go for quick escalation instead – it's better.

So, have you settled only for decision quality, or are you mindful of decision velocity too? Are the world's trends tailwinds for you? Are you falling prey to proxies, or do they serve you? And most important of all, are you delighting customers? We can have the scope and capabilities of a large company and the spirit and heart of a small one. But we have to choose it.

A huge thank you to each and every customer for allowing us to serve you, to our shareowners for your support, and to Amazonians everywhere for your hard work, your ingenuity, and your passion.

As always, I attach a copy of our original 1997 letter. It remains Day 1.

Sincerely,

Jeff

Jeffrey P. Bezos
Founder and Chief Executive Officer
Amazon.com, Inc.

本書の発刊に際して、下記の方々にご協力いただきました。
感謝申し上げます。(ジャスパー・チャン)

村井良二
御嶽 綾
前田 宏
渡辺一文
渡辺朱美
永妻玲子
平岡恭子
上田セシリア
渡辺弘美
松本肇子
松原哲範
望月真弓
(順不同)

〈著者略歴〉

ジャスパー・チャン〈Jasper Cheung〉

1964年香港生まれ。香港大学において工業工学の学士号取得、カナダ・ヨーク大学にてMBA取得。キャセイパシフィック航空、プロクター・アンド・ギャンブル（P&G）で勤務の後、2000年アマゾンジャパンに入社。同年よりファイナンス・ディレクターを務め、2001年には代表取締役社長に就任。2016年にアマゾンジャパン合同会社社長に就任。

Day 1〈デイ・ワン〉
毎日がはじまりの日

2021年7月13日　第1版第1刷発行

著　　者　　ジャスパー・チャン
発 行 者　　櫛　原　吉　男
発 行 所　　株式会社ＰＨＰ研究所
京都本部　〒601-8411　京都市南区西九条北ノ内町11
　　　　　マネジメント出版部　☎075-681-4437（編集）
東京本部　〒135-8137　江東区豊洲5-6-52
　　　　　普及部　☎03-3520-9630（販売）
PHP INTERFACE　https://www.php.co.jp/

組　　版　　朝日メディアインターナショナル株式会社
印 刷 所　　図 書 印 刷 株 式 会 社
製 本 所　　東京美術紙工協業組合

道をひらく

松下幸之助 著

運命を切りひらくために。日々を新鮮な心で迎えるために――。人生への深い洞察をもとに綴った短編随筆集。40年以上にわたって読み継がれる、発行520万部超のロングセラー。

定価 本体八七〇円
（税別）

続・道をひらく

松下幸之助 著

身も心も豊かな繁栄の社会を実現したいと願った著者が、日本と日本人の将来に対する思いを綴った116の短編随筆集。『PHP』誌の裏表紙に連載された言葉から厳選。

定価 本体八七〇円（税別）

［新装版］思うまま

松下幸之助 著

「心を鍛える」「道を定める」「人生を味わう」——。
折々の感慨や人生・社会・仕事に寄せる思い
２４０編余りを集めた随想録。明日への勇気と、
生きるための知恵を与えてくれる。

定価 本体八七〇円
（税別）